林姓主婦的
家務事
4

一條龍餐桌，從家庭料理到副食品

#觀念重建篇

影響深遠的飲食觀念 ×
快速上手的實務技巧

林姓主婦 著

suncolor
三采文化

目錄／

one

做副食品前，要先知道的大觀念

two

一條龍副食品料理，怎麼做呢？

HOW TO USE
雙書使用說明

關於一條龍餐桌的
觀念與實務技巧。

觀念篇

清楚圖解，一眼秒懂。

實務技巧篇

將製作上可能會遇到的
所有困惑一次解答。

超過88道、即刻上手的一條龍食譜。

新手媽媽容易抓不準寶寶吃東西的進程，特別在每篇食譜中標上弟弟第一次吃照片中料理的月齡，給大家參考！

TIPS整理了許多小技巧與食譜變化型，延伸作法讓你擁有超過88道的美味。

一條龍餐桌，從爸媽吃的料理到寶寶副食品，一次做好。

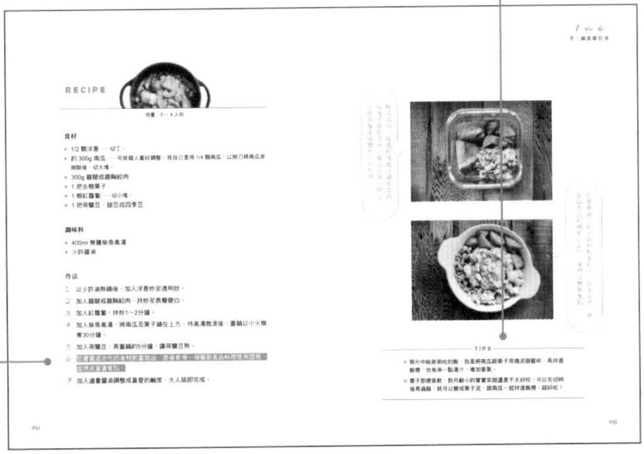

只要一個步驟，就可以輕鬆把家庭料理變成寶寶版。

One

做副食品前，要先知道的大觀念

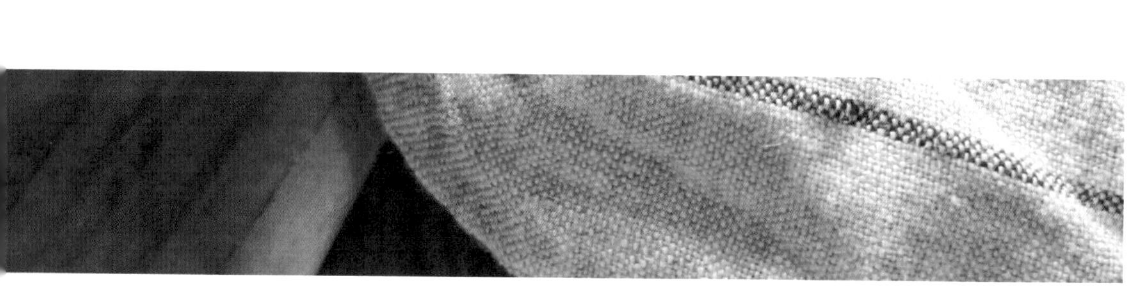

“第一胎時，我每天做副食品做到厭世，而我的辛勞哥哥並不買帳，他給我吃到厭食！到了二寶，我終於找出了一個皆大歡喜的方式，我開心做，弟弟更是化身食神、吃得頭好壯壯！

先認識本書的幕後神推手

因為有他們，讓我有滿滿的血淚心得，才可以寫書分享！

在看這本書之前，請容林姓主婦先簡單介紹一下我的兩個兒子，畢竟整本書都是我在餐桌對付他們兩個時，所累積出來的心得分享，你們認識認識，看這本書時會比較好入戲啦。

林姓主婦的長子於二〇一四年誕生，當年是個結合非洲人身材與法國人味蕾的奇葩，甚至經常在媽媽不知情的情況下，偷偷報名飢餓三十的活動，可說又瘦又挑嘴又耐餓，把林姓主婦整個半死。還好在四、五歲之後，逐漸發現吃飯的意義，現年快七歲的他，已經走回人生的正軌，為母的甚感欣慰。

次子於二〇一九年誕生，在月子中心時，林姓主婦就被護理師提醒過「妳這隻齁餓不得，以後妳就知道了！」喝奶時期就發現他總能輕鬆乾杯，開始吃副食品後，疑似胃口被越養越大，逐漸成為暴力討飯份子，超過時間沒送上餐點，馬上變身廚房裡的馬景濤大哭大鬧，吃飽馬上甜笑，讓生母哭笑不得。

兩子對吃的興致顯然天差地遠，不知為何同一對父母生出來的，原廠設定值會差那麼多。但也多虧這兩位仁兄的反饋，讓林姓主婦對孩子吃飯這件事有更深的省思與體悟。期望能在教大家一條龍料理的同時，也透過分享兩兄弟吃飯種種故事，幫助媽媽們找到更多化解吃飯難題的契機。

讓我們都不要再為孩子吃飯的事情如此地傷神。

林姓主婦家兩兒

嬰兒時期每喝奶必乾杯，開始吃副食品後，成為暴力討飯份子。

天生擁有非洲人身材與法國人味蕾；絕技是又瘦又挑嘴又耐餓。（但現在好很多了啦！）

為什麼我要寫這本書？

生了兩寶的我，
直到第二胎才從準備副食品的地獄中逃出，
這等好事一定要分享給各位主婦啊！

我被副食品整死的那段日子

很多人會以為，我是個非常享受做副食品的母親，但當年的我很痛恨死做副食品了，那種阿雜的感受全方位攻陷我的身心靈，後來光回想都餘悸猶存。

哪裡煩？從開始做功課、研究該怎麼給副食品的時候，就煩死了。

我們處於一個資訊爆炸的時代，不管是副食品的書、網路衛教文章或是網友經驗分享，只要一查，資訊就如雪崩般把我們碾壓到喘不過氣，鉅細彌遺一堆細節，說法還不盡相同。

處理食材也很煩，要一一弄熟、打泥或打碎，分裝做成冰磚，還要洗一堆調理工具善後，我常常為此在廚房忙到半夜，可怕的是辛苦做的副食品小孩不見得買單，心裡壓力其實不小。

產後四個月開始大量落髮，照鏡子差點以為自己是清朝人，媽媽都快崩潰死了，還被副食品荼毒，有夠可憐。

總之，我很樂意親手製作副食品給哥哥吃，但投入後才發現這是個令人腿軟的深淵，也因過程繁瑣耗時，壓縮掉僅有的休息時間而不耐，準備副食品時完全不是個充滿母愛，忙到閃閃發亮的畫面，我深夜還被困在廚房時臉根本超臭。

新觀念雖有，實務上卻跳脫不出舊邏輯

當時黃瑽寧醫師已經開始推廣少量多樣化的全新副食品觀念，說寶寶可以跟大人共食，可隨著餐桌少量多樣化、嘗試清淡的原型食物，試圖把媽媽對於副食品那偏執緊繃的心態中拉出來。

可惜當時的我一時間仍然跳脫不出傳統的製作邏輯，對於如何把自己愛吃的調整成哥哥也能吃的型態更是毫無頭緒，只好繼續咬牙做下去。

直到哥哥一歲左右開始厭食（後面會說很多故事），我才更積極去理解黃醫師想傳達的意念，決定放過自己，不再刻意備餐給哥哥，讓他正式與我們一起吃。幾年後回頭看，才知道那是一切逐漸好轉的起點。

大徹大悟、重新整合，找出媽媽人生新方向

生了弟弟後，我很想閃躲掉當年製作副食品的苦，邊想邊試一陣子，終於找到最佳執行方式，解開當年沒能解掉的難題。

我發想了一系列寶寶、幼兒跟大人都愛吃的食譜，我稱之為一條龍料理，把全家一次打發。弟弟靠一條龍料理，吃跟長得都比哥哥當年好非常非常多，而我備餐更是輕鬆無比，再也不用熬夜製作冰磚，弟弟還因此很早就與我們的餐桌接軌，習慣與我們共食。

說起來，（長大後的）哥哥跟弟弟能吃得好的關鍵，是我**終於拋下嬰幼兒食物應該專屬製作的固有觀念，從根本調整餐點型態，在大人與嬰幼兒的飲食喜好間找出最大交集**，讓全家人開心一起吃。

這樣做，不但**改變了孩子所接觸到的餐點內容以及家長備餐的心態，也讓孩子在潛移默化中，提高對不同食物的接受度**。這些連帶好處，我想也是黃瑽寧醫師苦心推廣少量多樣化的用意之一吧。

我知道仍有許多媽媽為了副食品製作繁雜及孩子吃飯問題所苦，覺得做副食品好累、寶寶又愛吃不吃好無力，卻跟當年的我一樣，想跳又跳不出來。**因為少量多樣化、讓寶寶一起吃的境界雖令人嚮往，但實際上不知道能煮什麼也無可奈何**，才決心要把這些心得與食譜記錄下來。

我希望藉由這本書，讓媽媽能輕鬆跟著食譜，調整備餐給寶寶吃的方式，緩解準備上的辛勞與壓力，間接減少內心焦慮，同時與寶寶趁早培養一起用餐的家庭飲食習慣。我相信，這才是讓孩子好好吃飯，最終的正道。

在開始之前，媽媽要先學會放過自己

不想讓餐桌變成孩子吃飯的考場，媽媽請先平常心以待！

千錯萬錯都是媽媽的錯？

台灣整體社會風氣對母親角色的期待是很高的，婆婆媽媽甚至路人甲乙丙丁，都很愛輕易對孩子表達過分關切。他們自以為無心的一句話，總是轉換成上萬隻冷箭射向母親，好像在嫌我們失職。

小孩瘦了點被唸是不是都沒吃飯，肉了點被唸是不是一直給他吃零食，想玩不願把飯吃完被唸習慣不好，不愛吃菜被唸怎麼那麼挑食，不愛吃肉被唸這樣會長不高，在外面偶爾吃一根薯條也要被隔壁桌的唸給小孩吃這個不好啦。媽媽廚藝好會變化，但一旦小孩不買單，就被唸是媽媽把小孩嘴養刁。媽媽廚藝不好，又被唸說煮那麼難吃難怪小孩都不捧場。

這種排山倒海的關照，間接讓我們對於小孩能不能好好吃，能否長得好產生諸多執念，把我們搞得更看不開，千錯萬錯都是媽媽的錯。

副食品是在母奶之後緊接而來的大關卡，大多媽媽在母奶階段已經被逼過一輪，到副食品階段更是無法鬆懈。寶寶的高矮胖瘦就像現成的成績單，抱在手上任人打分數。

媽媽所受的壓力，小孩往往一起承受

新手媽媽在這種集體焦慮下，很難平常心看待寶寶「吃」這件事，加上常態性犧牲休息時間、費力製作副食品，壓力與疲勞就像滾雪球般，一步步把新手媽媽逼到快起肖，讓我們對小孩「吃」這件事得失心變得很重，重到小孩少吃幾匙都會讓我們腦海中出現無數次翻桌的畫面，一回神才想說怎麼還沒翻（應該是還好沒有翻吧！）。

不知不覺，吃飯變成一場又一場的親子拉鋸戰，造成雙方沉重的心理壓力。你一點都不享受準備餐點給孩子吃的感覺，因為很怕又會被打槍；你的孩子一點都不享受吃飯的時光，因為對他而言，在餐桌上陪他吃飯的是主考官而不是媽媽，而且整個用餐氛圍活像個獨立考場（來，這個很營養，你一定要吃下去）。

找到讓自己穩住平常心的力量

其實**小孩高矮胖瘦很大一部分是體質或遺傳，小孩生長速度也各有不同**。有的小孩吃超多還是瘦巴巴，有的小孩白白胖胖但其實沒特別愛吃。看看你身邊的朋友，不也有人三天兩頭就吃宵夜零食但依舊水蛇腰，也有人天天蔬食減醣但還是水桶腰（替他哭出來）。

另外別忘了，每個小孩對吃的興致，與生俱來就不一樣，我兩個兒子就是明顯對比。總之，**這件事不是努力就一定會得到等值回報**。所以更重要的，是找到讓自己穩住平常心的力量。

我們可以**態度積極，認真學習正確觀念，在不至於燃燒自己的範圍內，盡力而為。同時保有順其自然、不苛求不強求的淡然**。不要輕易被內心的焦慮或是旁人的關切影響，**做一個從容淡定、對自己育兒方針有自信的母親**。

當你把心態調整到這個狀態，學會放過自己，充滿信念，我相信，你育兒的副食品之路，已經成功一大半。

副食品在實務上是如何一步步把媽媽逼到起肖？

把心態調整好仍不足以改變全局，因為傳統的副食品作法，確實把媽媽們逼瘋。

副食品逼瘋媽媽四部曲

以下是我認為副食品在實務上一步步把媽媽逼到起肖的原因，也是讓我覺得製作方式必須革新的起點。

1 專屬製作，累死媽媽。

婚後我就開始下廚，生了老大後，雖然我繼

續維持煮飯的習慣，但給大寶吃的副食品，我都是額外準備的，跟大多數的媽媽一樣。

當年只要到了該做新一批冰磚的時候，我就會深深嘆一口氣，因為代表我要忙到半夜。那段勞心勞力的過程不過幾個月，就足以在我心中留下深深的陰影。

2 拚了老命弄，寶寶卻不吃，氣死媽媽！

為了做副食品熬夜到半夜也就算了，但非常有可能寶寶舔了一口就吐舌撇頭，或是在餐椅上表演大法師下腰，媽媽好說歹說也沒用，他們不吃就是不吃。

雖然寶寶不買單的意念很強烈，但我們熬夜做副食品的怨念更深，常常會變成對峙的僵局。媽媽除了擔心寶寶沒攝取足夠營養，也無法接受自己辛苦做出來的副食品，被輕易宣判出局，總想無所不用其極多餵一點，最後就是媽媽寶寶一起起肖，兩敗俱傷。

3 做副食品就去掉半條命，自己只好隨便吃。

因為做副食品實在太麻煩了，媽媽一不小心就把所有心力都投進去。全職媽媽利用顧小孩的空檔製作，弄完都覺得命去了半條，更別說對職業婦女會是多麼艱鉅的挑戰。所以很多媽

媽毫無閒情逸致管自己要吃什麼，求個不餓死就好，三餐總是隨便打發，沒把自己照顧好，幾個月下來怨念當然更深。

4 太麻煩，只好多做一點冷凍，但因口味變化少，寶寶吃到厭世還剩一堆冰磚，媽媽更怒！

然後因為做副食品真的太煩了（到底要強調幾次啦），媽媽們乾脆多做一點，冷凍起來分批餵，我自己第一胎就是這樣。但是畢竟一次能處理的食材還是有個上限，寶寶可能那一兩個禮拜就是那幾種口味輪來輪去，把他們膩死了。

媽媽看著辛苦做出來的冰磚滯銷，熱了又倒掉，還要煩惱小孩這下要吃什麼才好，內心的無奈與憤怒真的是旁人無法理解的啦（但林姓主婦懂）（摟）。

回想以上種種心酸，我得出一個結論：**必須從根本去改良副食品的製作方式，找到最省時省力的方法，降低準備上的負擔，才有餘力把自己也照顧好。少了犧牲奉獻感，寶寶吃多吃少，比較不會往心裡去。**

當媽媽心情放鬆，寶寶不再感受到「吃」是一件讓他們有壓力的事情，才能漸漸在生活中跟著家人享受「吃」這件事。

培養孩子良好的飲食習慣是條漫長的路，別在頭一年就把自己搞得筋疲力竭。為了自己與寶寶，改變看看吧！

究竟什麼是一條龍餐桌？

一條龍跟傳統副食品有什麼不一樣？真的能讓媽媽省時省力、寶寶又吃得好？好處是什麼呢？

想必會看這本書的大多是新手媽媽，我真心希望既然你們買了這本書，就不要再落入傳統製作副食品的思維，走我當年的冤枉路，忍住okay？

做副食品不用整天打泥做冰磚，也無需那麼拘泥食材給予順序等細節，**這件事沒有大家口中說得那麼高深莫測，照著我的書，心態一定更輕鬆，製作方式更直覺，而且寶寶反而能吃得更營養均衡，同時建立起良好的飲食習慣。**

簡單說，就是教你做出你跟寶寶都愛吃的雙贏料理

生弟弟後，我很希望能降低製作副食品帶給我的負擔，但跟上一胎隔五年，我腦子有點頓了，沒能馬上悟出好辦法。直到弟弟四個月大開始吃副食品時，我才且戰且走，重新思考新戰略（手轉鐵球）。

頭兩個月沒什麼，那個階段只是要讓寶寶嘗試食物的口感跟味道、測試過敏反應，吃多吃少無所謂，奶有喝夠就好。對冰箱總有新鮮食材的我來說，很容易隨便弄給弟弟吃，算是給我一個緩衝期。

兩個月後弟弟變油條了，開始給我吃到哭（鐵球應聲落地），看弟弟疑似進入撞牆期，讓我著實煩惱了幾天，想說老天該不會想磨練我心智與廚藝，接連賜給我兩隻不重吃的孩子

將大人吃的炒什錦米粉，夾一些料出來，剪剪混進米粥裡，弟弟吃得很開心！

吧。直到有天我要炒什錦米粉，料炒熟之後，我想說不如趁調味前把料夾一些出來，剪一剪、混進米粥裡給弟弟吃吃看吧。沒想到弟弟一掃吃到哭的陰霾，大口大口吃完。

他這樣的反應讓我喜出望外，而且那碗食材很豐富，製作又如此順（隨）便，對我而言實在輕鬆太多。**後來我便慢慢練習不刻意做副食品給他吃，而是把我做給全家人吃的菜，轉化成弟弟也能吃的型態。**

寫書的此刻弟弟已經一歲多，回想起過去那幾個月，**秉持著一條龍的精神，我很少需要特別做副食品給弟弟吃，他吃的就是我們餐桌料理的延伸**。就算要做手指食物給他，也都是哥哥也吵著要吃的好料，最後乾脆端上桌大家一起吃。曾經讓我害怕抗拒的副食品階段，竟然就這樣無痛度過了，**讓我更確信副食品不是個需要被那麼刻意獨立出來的範疇（黃醫師您說的我都聽進去了）**（淚）。

一條龍餐桌的7大好處

徹底執行一條龍副食品料理、享受了輕鬆不費力的製作過程後，我認真覺得這是一個**對大家都最好的策略**，先挑最主要的七個好處來說，就是：

好處①

忙一次全家飽，連冰磚便當也順便搞定，超高投報率讓股市老師都驚呆了。

一直以來，很多媽媽都把時間精力投注在製作副食品上，自己則是吃得亂七八糟，沒把自己照顧好，幾個月下來心情當然鬱悶。用一條龍的作法，**同樣花了時間在廚房**，但你忙完之後（**而且絕對不會比傳統製作副食品的方式更**

忙），**是做出你跟全家大小都可以吃的料理，超簡單又健康美味，還可以幫寶寶做成冰磚便當，忙的時候隨時熱來吃**，投報率破表。

好處② 讓小孩在自然無壓力的情況下，接觸到更多元的食材。

如果是特別製作副食品給寶寶吃，我們**很容易過度站在寶寶的立場**，去設想他適合吃什麼、愛吃什麼，畢竟要做就做確定他肯吃比較保險。但這樣迎合寶寶的思維，容易不自覺先入為主幫孩子排除掉一些食物，不敢貿然挑戰他們的味蕾，讓他們接觸的食材廣度受限。

一條龍是站在全家人都要吃的角度去思考菜色。從大人的視野，想吃跟能吃的食材肯定更多元，寶寶跟著吃的話，自然會嘗試到更多食

野菇燉雞中，藏有大蔥的滋味與營養，利用一條龍，趁機可讓小孩嘗試多元食材！

讓寶寶跟著我們一起吃，有福同享！

材、攝取更多營養。

舉個例。做副食品時，大概很少媽媽會刻意放蔥。但如果是一條龍料理，當我做野菇燉雞時，也加了日本大蔥讓湯汁更甜，煮好後，我就順手剪一點大蔥給弟弟嚐嚐看。

反正不是刻意為他準備的，他嚐了覺得喜歡，就讓他多吃幾口。不喜歡？無所謂，之後有煮再試。而在這隨意的過程中，弟弟就接觸到一種新食材，不是很好嗎？

好處③ 全家一起吃，有福同享，促進寶寶食慾。

我們很愛讓寶寶吃特製的副食品，自己卻在旁邊大魚大肉，小孩都看到流口水了，低頭一看卻還是只有同一碗粥可吃（寶寶表示excuse me?），他吃到哭粗乃也只是剛好而已啦！

一條龍餐桌有福同享，全家一起吃，寶寶看著其他人大口吃著同樣的食物，會放下戒心、更有嘗試的興致，覺得到底是有多好吃啦，我也要吃吃看（湊過去），不知不覺跟著吃到更多食物。

好處④ 跟小孩站在同一陣線，有難同當，更能理解他們對食物的反應。

講一個現實的。**當寶寶只能吃特製餐點，在他心裡，我們不但有福不同享，連有難也不同當**（寶寶覺得切心）。**我們會不小心對小孩在餐桌上的表現缺乏同理心**，無法站在同一陣線，去理解他吃到某些食物的反應。

很多時候小孩真的是吃膩了，或是根本覺得太難吃，我們卻無法接受，因為那些食物「很

一條龍是把大家都放到同一條船上，孩子吃的你也吃！像這道壽喜燒，寶寶吃的跟我們吃的只差別在無調味。

一條龍的寶寶很有口福，今天吃魚、明天吃雞，餐餐有變化。

營養」，吃就對了，反正不是我們要一鍋粥連吃好幾頓，也不是我們要吃蔬菜泥或是肉泥。如果今天角色互換，我們搞不好也吞不下去。

一條龍餐桌是把大家都放到同一艘船上，孩子吃的你也吃，雖然他們的版本沒有調味或是輕調味，但基底是一樣的，好不好吃你心裡有譜，會比較能猜到小孩為什麼喜歡或不喜歡。

這種理解，會讓我們在餐桌上對孩子多些尊重，少些強迫，減少雙方不必要的壓力，長遠下來所帶來的正面影響，超乎你想像。

好處⑤ 寶寶來不及生厭就吃到新的好料。

如果我們也要一起吃，很自然會更留意口味跟菜色變化，因為大人更難搞啊，都活到這把歲數了，幹嘛逼自己吃不好吃的東西，一定會設法弄出可接受的料理。

所以一條龍餐桌的寶寶很有口福，今天跟著你們吃蒸魚，明天吃燉雞，後天吃燉牛肉，吃的蔬菜也跟著餐桌輪調，無論在食物型態、口味跟口感上，有著很多元的變化，**小孩幾乎都還來不及被膩到，就跟著我們嚐到下一道料理了，這絕對是刻意備寶寶餐無法達到的境界，**除非累死媽媽。

沒料理基礎的人，更該把握這個母愛破表的階段，為了跟寶寶一起吃好料，趁機把廚藝練起來！

好處⑥ 讓媽媽找到家庭飲食的主導權，不再把孩子當主人「服侍」。

這是黃瑽寧醫師給我的當頭棒喝。他說，媽媽應該把孩子當客人而不是主人。

這點破很多媽媽的窘境，因為我們太關注小孩吃這件事，常不自禁把小孩當主人服侍。特製了A餐但小孩不吃，說想要吃B餐（或是媽媽猜他想吃B餐），就馬上奴性堅強跑去廚房弄B餐，滿頭大汗把B餐獻上給主子後，他還是不吃！這崩潰的畫面絕非整人節目的哏，而是很多媽媽的日常。

當媽媽習慣用這種低姿態去張羅孩子餐點，一來會對孩子要吃不吃得失心非常重，二來會讓孩子感覺到「吃飯要以他為中心，他喜不喜歡最重要，旁人只能配合、滿足他」。**時間一久，養成孩子越來越挑剔的習性，更會讓孩子甚至其他家庭成員，忽略媽媽也有需求，也該被尊重與照顧。**

一條龍餐桌會幫媽媽（有的家庭會是爸爸）找到家庭飲食的主導權，用顧及一家人需求的高度，去設想、烹調大家都愛吃的料理，再分享給寶寶。就像黃醫師說的，這樣做是把孩子當客人，我們覺得好吃的，也分給他吃吃看，他吃多吃少我們都尊重，不再被孩子那莫名奇妙且捉摸不定的喜好牽著走。

面對孩子吃飯的問題，說來更是一場心理戰，小孩與生俱來就很會操控媽媽，**我們要看清這整盤局，找到自己應該守住的角色才行。**

好處⑦ 一條龍餐桌，讓寶寶趁早習慣大人吃飯的邏輯，順利接軌。

這點在後面章節會透過更多故事詳述，我認為這是一條龍餐桌帶給寶寶與家庭最重大且長遠的意義，相信看完本書後，你會有所體會。

一條龍可讓寶寶趁早習慣大人吃飯的邏輯。

一條龍副食品的延伸好處

這邊要先提一下台灣比較常見的副食品作法，基本上就是做成冰磚，而冰磚有分為兩種形式。

常見的兩種副食品作法

1 食物泥冰磚

一是把食物分別蒸熟後打泥或打碎，再做成冰磚，像是米粥冰磚、花椰菜冰磚、紅蘿蔔冰磚、肉泥冰磚等等，餵寶寶時，就抓幾個冰磚出來加熱。

這個做法最讓我過不去的就是個別處理食材太麻煩耗時，而且我曾試著做給哥哥吃，被他狂打槍，單口味的食物泥對他來說難以下嚥，

傳統作法是把食物分別蒸熟後打成泥，做成冰磚，餵寶寶時就抓幾個冰磚出來加熱。

我也曾每週煮幾個口味的寶寶粥，做成冰磚交替餵，但哥哥最後吃到厭食。

我就沒有繼續發摟這個作法。

2 寶寶粥

後來我是走向另一個常見作法，每週煮幾個口味的寶寶粥再分裝成冰磚輪著吃。寶寶粥可透過食材搭配變化味道，煮成像是洋蔥雞肉高麗菜粥、番茄牛肉粥等等，比單口味冰磚好吃很多，哥哥當年終於開金口就是因為寶寶粥。

若不是哥哥一歲後毫不留情，上演他厭食我厭世的驚世戲碼，突然不肯吃任何粥飯，我也會覺得吃寶寶粥很合情合理啊！可以添加好幾樣食材，吃一口就吃進多種營養，稀稀軟軟的又很吞，餵起來很輕鬆，光想到就覺得心安。

而我用一條龍的作法餵食弟弟，是隨餐把他適合吃的食材挑出來，另外搭配粥飯，跳脫出寶寶粥的模式。這樣執行了大半年，看著弟弟在餐桌上一路進擊，我才恍然大悟，當年總給哥哥吃寶寶粥，也是造就他後來挑食厭食的一個原因啊（大驚）。

也有部分家長會採用 BLW（Baby-Led Weaning），中文稱作「寶寶自主進食」，這個作法提倡讓寶寶自己決定要吃什麼、吃多少，但因為我沒有這樣執行過，身邊真的貫徹此原則的朋友也很少，實務觀察不足，所以本書不會討論或比較這個餵食法。

比起一條龍副食品，寶寶粥的2大相對劣勢

以下討論是基於哥哥時期吃寶寶粥v.s.弟弟吃一條龍副食品的經驗來比較，雖然我們家的經驗不能代表所有人，但從以下兩點分析，還是可以看出寶寶粥在培育小孩良好飲食習慣上的相對劣勢，可說不比不知道，一比嚇一跳！

劣勢① 無法分別嚐到食材的味道與口感看見外觀，建立他們對食物的認識。

吃副食品是幫助寶寶認識食物的重要啟蒙階段，而**小孩對於食物的喜好，主要取決於味道、口感跟外觀。如果總是給寶寶粥，等於所有食材都混在一起，寶寶不但吃不出食物個別的味道與口感，也看不出來自己吃了什麼。**

這樣做的風險是，當小孩有天從寶寶粥畢業，少了粥飯作為載體，食物開始現出原型要送進他們嘴巴時，在寶寶的迷你宇宙裡可能會產生彗星撞地球般的衝擊，不少寶寶在這關會整個跨不過去。

像是吃一口就覺得味道太強烈（寶寶OS：

↓寶寶粥

V.S

↓一條龍副食品

相較於寶寶粥把所有食材混在一起，一條龍的作法更能幫助寶寶品嚐與認識食材。

哇靠原來青菜直接吃那麼難吃！）、口感很噁心（寶寶OS：什麼啦青菜竟然是脆的！），或是光看到外觀就完全不肯張嘴（寶寶OS：要我直接吃花椰菜是不可能的事情呦！）。

換句話說，即便曾經覺得寶寶吃菜吃肉都沒問題，很有可能後來發現寶寶之前肯吃是因為全被混在粥裡。當寶寶有天很明顯看到菜或肉要送進他嘴巴時，會很抗拒。

這時小孩差不多一歲前後，自我意識逐漸顯現，堅持度更高，不再那麼好呼嚨。**終究跨不過去的，就會變成讓媽媽聞之色變的挑食，有些食物你再也塞不進寶寶嘴裡。**

回想起來，哥哥當年就是走這樣的戲路，我認為其中一個原因，是我基本上只餵寶寶粥，沒有給他足夠的機會練習吃食材本人。

反觀弟弟，他在一條龍的訓練下，嚐過多種天然食材，有很多甚至是當年我從沒想過要放進寶寶粥裡的（礙於不適合冷凍保存）。而且弟弟**幾乎都是分別品嚐，他能更深刻去認識與感受食材本身的味道與口感**。相較之下，他的飲食之路大概比哥哥當年開闊八百倍，吃飯時所體驗到的樂趣與享受肯定也更多。

劣勢② 寶寶粥的口感太過單一，對於訓練寶寶咀嚼的幫助有限，進食過程更是乏味無趣，讓寶寶厭到拒食！

吃副食品的另一個重要任務，是要訓練寶寶的咀嚼能力。不要小看這個動作，咀嚼是需要舌頭、嘴唇、牙齒、臉部肌肉充分配合的，咀嚼得多，練習口腔器官靈活度的機會就更多，間接幫助未來的語言發展。而**咀嚼能力好的小孩，對食物的接受度也會更高**，因為他們可以應付各種口感的挑戰。

我從野菜南瓜咖哩牛肉中挑出來的食材們，能讓寶寶從食材口感、大小、形狀得到更多口腔刺激。

在嬰幼兒時期**缺乏咀嚼練習、只吃軟爛食物的小孩**，隨著年紀增長，可能**會出現明顯卡關**，比較需要咬的就懶得吃，我就看過很多小孩因此不愛吃肉，延伸出挑食甚至偏食問題。

食物本來就有自己的口感，是我們習慣把東西都喇進寶寶粥裡，才會讓小孩再怎麼吃都覺得差不多。而且如果會把寶寶粥做成一批冰磚輪著吃的話，等於寶寶那一、兩個禮拜，吃的食物都是固定口感，沒有辦法隨著寶寶每天的小進展去機動調整顆粒大小。**這對隨時都在成長的寶寶來說，無疑損失了能更頻繁練習咀嚼的機會**。

我的一條龍作法是盡量把食材分別給，除此之外，還可以依照食材軟硬程度，搭配小孩當下的咀嚼發展，個別決定要剪成多大。

舉個例，當我煮食譜裡的野菜南瓜咖哩牛肉，給弟弟吃無調味版時，他可以大口吃已經燉到軟爛的南瓜、被切碎還有點脆的玉米筍、剪成小塊狀的櫛瓜、大塊一點的紅蘿蔔、剝成絲的牛肋條。

可想而知，同樣是吃一頓，**一條龍的寶寶從食材口感、大小、形狀所得到的口腔刺激，肯定比只吃寶寶粥的多出許多，不會從頭到尾都吃同一個口感的東西，進食過程更有樂趣，降低突然大厭食的可能**。

一條龍的**初衷是為了讓我省事**，但一路做下來，我又驚又喜地發現**這作法對小孩的飲食習慣培養以及媽媽的身心健康，竟然也有那麼多的好處**，感覺就像是一邊闖關一邊有好多金幣灑下來，砸得我又痛又爽快。

也要強調，不是說吃寶寶粥不好喔（很怕被寶寶粥協會（？）砸雞蛋），**我想表達的是不要「總是只給他們吃寶寶粥」啦**！真的很希望大家能隨著一條龍食譜，讓副食品用更豐富多元的方式呈現，幫助寶寶成為一個享受吃飯的小吃貨！

如何替寶寶及全家人搭配出營養均衡的一餐？

如果不要只吃寶寶粥，其他食物該如何延伸搭配才會更營養呢？

在我重新理解副食品這整件事後，**我深深領悟到寶寶吃飯不就像大人一樣嗎？**明明吃副食品的終極目標，是希望寶寶在一歲後能順利銜接到大人的餐桌，減少我們刻意備餐的辛勞，我們努力的方向卻很容易與目標背道而馳，總是把寶寶當特殊個案在處理，搞得他們跟我們吃的根本像兩碼子事。

有此頓悟後，我很早就開始用大人搭配一餐的邏輯，幫弟弟準備副食品，以下說明我如何一步步朝目標邁進。

在弟弟四、五個月大，剛開始吃副食品時，我每天都會挑個新鮮食材弄成泥給他嘗試，在「一條龍副食品料理，怎麼做呢？」篇章（P.76）有完整的說明。

大概六個月大時，弟弟就開始練習吃顆粒口感的食物，粥、根莖類或是口感偏軟的食材，都不打泥了，我會運用他吃過的食材，搭配成寶寶粥給他吃。

很快的，大概在弟弟快七個月時，我感覺他食量慢慢建立起來了。**當時我做了一個重要決定**，就是不再像哥哥時期，只是把寶寶粥的份量一直往上加，而是**參考大人吃飯的邏輯，讓他的餐點內容「橫向發展」**。

什麼是「營養的一餐」？

在這樣做之前，首先要對什麼叫做「營養的一餐」有明確的認知。我發現很多人煮不出一桌菜，甚至連在餐廳要負責點菜都會拿著菜單手抖，是卡在不會搭配，可能是口味上搭不協調，或是營養上搭不均衡。

在此我簡單討論營養搭配的重點。我們常說一**餐至少要有飯有肉有菜**，這個口訣有大致把重點畫出來，但若要更確切去掌握均衡飲食的搭配技巧，**用「營養素」為切入點去分類討論，所含括到的食物種類會更廣，備餐時的視野會更開闊，搭出來的餐點也會更多元豐富**。此外，**有這些觀念，當孩子挑食，就會知道還有哪些食物可以取代以補足營養，避免孩子偏食**，媽媽也就不至於太過焦慮。

只要另外再掌握主食、主菜、配菜的概念，就會對如何搭出一桌菜感到豁然開朗。我將兩個面向融合在一起討論，從寶寶到全家人都適用喔。

一餐必要的營養素及常見食物

營養素		分類	常見食物
碳水化合物		主食	米飯、麵條、麵包、饅頭、馬鈴薯、南瓜、地瓜、玉米、燕麥等。
蛋白質	動物性蛋白質	主菜	魚、肉、海鮮、雞蛋、牛奶／乳製品等。
	植物性蛋白質		豆類、豆類製品等。
維生素、礦物質		配菜	蔬菜、水果、海藻類等。

01 碳水化合物——主食

其中最常見的澱粉類會作為主食，讓我們能吃飽，是能量的來源。

02 蛋白質——主菜

富含蛋白質的食材會作為主菜，是一餐中的重頭戲，肩負美味與營養的重責大任。蛋白質可以促進新陳代謝，增進身體機能、增加肌肉量與維持活力等。

03 維生素和礦物質——配菜

維生素和礦物質，則可靠配菜補充，以增強免疫力。配菜不限一道，但**至少要有一樣是綠色蔬菜**，其他的配菜就可以較隨性搭配，用意在增加菜色美味與豐富度，像是各種種類的蔬菜（菇、瓜、筍、根莖類等）。

04 營養PLUS

順道一提，即便豆類、豆製品及雞蛋因富含蛋白質而被歸類在主菜，但吃葷的人不太會這樣看待它們，畢竟主菜還是習慣吃魚肉海鮮。**在大口吃肉的同時，別忘了透過豆類及豆製品攝取植物性蛋白質也非常重要**，不能總只吃動物性蛋白質；而雞蛋更是動物蛋白質中質量最好的，因為很好消化吸收。所以只要確保配菜有至少一道綠色蔬菜，其他配菜可以多用運用這類食材，整體的營養會更均衡喔！

如何在基礎觀念上，讓餐點橫向發展？

有這些理解後，回頭來看我是如何讓弟弟的餐點「橫向發展」。

主食

- 每餐都有粥飯作為主食。
- 有時也會用馬鈴薯、南瓜、地瓜、麵包、麵類、饅頭等做為主食，換換口味。

主菜

- 每餐都有魚或肉作為主菜，可能是一條龍料理本身就有，也可能是單獨蒸片魚或烤肉排（手指食物篇很多口味）。
- 如果粥飯裡本身已有足量的肉（如親子丼），就可同時作為主食與主菜。
- 若粥飯裡雖有肉但偏少（如肉燥拌飯），我會簡單蒸塊魚、弄雞蛋料理、蒸豆腐或毛豆，或是烤肉排，補足蛋白質。

配菜

• 基本上每餐我都會額外弄一份綠色蔬菜，讓弟弟有機會單獨練習吃到。

營養PLUS

• 如果主食＋主菜＋蔬菜的總量不夠，我會再加配菜或濃湯，把份量跟營養補齊。

這樣看過，應該很有感覺了齁，**如果無法餐餐吃得均衡，也可以用一天為單位去檢視，這餐少吃了什麼營養素，下一餐再盡量補回來。**

看了不要覺得頭痛，擔心要這樣弄也太高剛，別忘了本書的宗旨是「讓寶寶透過一條龍料理與大人共食」。只要參考我的食譜，你會發現，讓寶寶吃一道道營養美味的食物，原來可以是如此自然的事情，**只要大人自己懂得怎麼好好吃，寶寶吃得好，只是順應而為而已。**

在動手製作前，先同步一下大觀念吧！

副食品怎麼給才好的觀念
在過去幾年不斷被翻轉，
讓我們一起更新，刪掉老舊的觀念！

這是個資訊爆炸的年代，副食品該怎麼給眾說紛紜，讓許多新手媽媽越查越焦慮。就算特別去諮詢醫生，得到的建議也不見得相同，真的很為難媽媽。

以下三大觀念與議題是我覺得特別容易讓新手媽媽不知所措的，分享我融會貫通後的看法給大家參考。

觀念1 食材要測試幾天，才可以排除過敏可能？

撇開各種派別作法上的種種不同，我自己認為最苦惱的是食材到底要測試幾天？傳統的說法是同一個食材要測試七天，最少三天，確認沒過敏才能放行。但黃瑽寧醫師近年推廣的少量多樣化則是徹底翻轉這個觀念，讓媽媽們開始在新舊觀念間產生拉扯。

黃瑽寧醫師說，寶寶四到九個月時，是透過食物去訓練免疫耐受性的黃金期，能接觸到越多天然食材，上越多免疫課，長大後反而比較不會容易過敏。

基於這個理論，寶寶吃的進度不再受限於七天或三天一食材，而是有什麼新鮮、天然、調味清淡、口感合適的食物（但蜂蜜一歲前絕對母湯喔，堅果類因為太硬也不可以），**都可以**

「少量」給寶寶嘗試。因為量少，就算過敏也不至於太劇烈。黃醫師同時提醒，對過敏反應抓大放小即可，不需要過度緊張。

我雖然不是緊張型的媽媽，也養到第二隻了，但初期還是會怕不小心害弟弟過敏，因為也不知道他體質怎麼樣。而且黃醫師好像走得有點前面喔，我實際上遇到的小兒科醫師或是皮膚科醫師，都還是跟我衛教傳統的觀念，讓我覺得好想親自去跟黃瓏寧醫師談心聊聊喔。（人家沒空！）

有次帶弟弟打預防針時，我思緒實在太混亂了，就跟醫生苦笑說，說法好多種喔，我都不知道該怎麼辦才好。那位醫生的答覆，讓我茅塞頓開。

她說：「其實副食品怎麼給，也要看家長個性跟寶寶體質。有的家長比較有冒險犯難的精神，覺得多給小孩嘗試沒關係，起點小疹子也不會太過緊張，那進度就可以快一點。有的家長個性謹慎，或是家裡有明顯的過敏體質，那就用保守點的進度，他們會比較安心。」

醫生的回答給我的啟發是，**副食品怎麼給是有彈性的，不需要太死守某個作法**。

採取順其自然、隨機應變、膽大心細的態度

如果你跟我一樣，內心認同黃瓏寧派，覺得讓小孩儘早吃到多種食物很好，但是又覺得讀到的相關文章或是醫師都不是這樣衛教而躊躇不前，那初期保守一點沒關係，媽媽放心也很重要。

如果吃了幾週，都沒出現明顯過敏反應，不妨開始加快進程、讓寶寶接觸更多種食材，不但免疫耐受性會更好，副食品營養會更豐富、口味能做出更多變化，還能更順利達到一歲起

開始跟大人共食、從副食品畢業的目標。

之所以要寫這一大段心路歷程，是因為一定會有媽媽問我「食譜裡的XXX多大可以吃？」「寶寶吃〇〇〇不會過敏嗎？」。如前述，每個小孩吃的進度不同，沒有絕對的答案，黃瑽寧醫師也不再建議一個必然的順序。

至於吃〇〇〇會不會過敏，就是吃了才知道，**高敏食材不代表吃了就一定會過敏，低敏食材也不代表吃了保證沒事，擔心的話，少量給予、淺嚐一兩小口即可**。

我最後到底怎麼做呢？**初期我一天給一種新食材，以米、根莖蔬菜類為主**，這是我覺得不會太快也不會太慢的步調。大概一個月後，我看弟弟好像不太會過敏，就開始變大膽，覺得OK的食材我都會讓他嘗試。**肉跟蛋我是等他六個月正式開始給**。簡而言之，就是順其自然、隨機應變、膽大心細。

為避免寶寶過敏的副食品給法

以往的觀念	同一個食材要測試三~七天，沒過敏才納入安全清單。
黃瑽寧醫師建議	只要是新鮮、天然、調味清淡、口感合適的食物，都可少量給予。
林姓主婦作法	• 新鮮天然、調味清淡、口感合適的食物，都可少量給予。 • 初期一天試一種新食材，一個月後發現不會過敏，即更積極嘗試。 • 六個月後，正式開始讓寶寶吃肉跟蛋。

觀念2

副食品到底能不能調味？

我很喜歡上IG看日本媽媽的副食品紀錄，不得不說她們在料理上的丁金程度真的不是蓋

的，從菜色變化、擺盤美感到拍照氛圍都是出書等級，而且一個比一個還拚。明明是要做給腦袋尚未開化的嬰兒吃，有的媽媽還會花時間剪海苔跟紅蘿蔔，做成卡通人物的造型，看得我瞠目結舌，覺得這些媽媽是否半夜都不睡覺在那邊剪海苔。

在讚嘆日本媽媽之強大的同時，我注意到有個跟台灣副食品文化差異很大的點，就是她們似乎不避諱在一歲前讓寶寶吃有調味的東西。至少我發摟的那些媽媽，醬油、味噌、鹽巴甚至番茄醬都曾用過。我相信量不多，提個味而已，但光這樣加幾蘇蘇，對台灣媽媽而言就是極大忌諱，萬萬母湯。

會有這樣的觀念，是因為寶寶一歲前的肝跟腎尚在發育，吃到含納的調味料怕會凍美條，所以非常多媽媽執著於副食品不調味，而且能堅持到多大就多大。

但這個觀念近年也被黃瑽寧醫師推翻了，他

強調**少許調味不但會增加寶寶食慾，也不至於對寶寶健康造成影響，請媽媽們不要如此聞鹽色變，大可放心讓寶寶跟著大人一起清淡吃。**

無需把調味視為絕不可跨越的界線

那我呢，我調不調味？

其實我做的副食品，也不調味，因為**我對於食材的搭配與運用有豐富的經驗，知道如何靠食材天然的味道，搭配烹調技巧，讓食物不調味也有滋有味**，至少弟弟吃得很開心。**所以我絕對不給弟弟吃有調味的食物嗎？也不是。**

先說，當年我也跟眾多新手媽媽一樣，對於調味的態度非常保守。哥哥如果想吃我們的食物，我幾乎不會放行。帶哥哥出門一定會自備副食品，不敢貿然給他嘗試外頭的食物。就結果而言，哥哥基本上只肯也只能吃我煮給他的食物。

我一路嚴守不調味的原則到哥哥至少一歲，但當他緊接著進入厭食期時，挑食得一塌糊塗。在家就吃得零零落落了，在外更是什麼都不願意吃，這讓我們出門或旅行時非常苦惱。

回想起來，我認為這跟我太堅持不能吃有調味的食物，不敢讓他嚐鮮多少有點關聯，我把他嘗試新食物的膽子越養越小，他的食物舒適圈因為我的諸多執念，被限縮在一個特定的範圍。

有著哥哥的前車之鑑，弟弟就完全不是這樣養了。**我弄給弟弟的不會刻意調味，但其他食物，無論是在家或是外食，只要清淡的原型食物，他有興趣的話都會讓他吃，藉此拓寬他對食物的認識**。我不再把調味視為絕對不可跨越的界線，而是放寬心找到讓我與弟弟都很自在的彈性。

所以啊，不需要連輕調味的食物也視為毒

蛇猛獸，小孩越大越有主見，嘴巴只會越閉越緊，肯張嘴討吃的時光要把握啊～**而且如果寶寶已經厭食，那更是要放下執念，打開心胸讓寶寶吃點有味道的東西**，加點調味就能讓三口組變成十三口組的話，不是很值得嗎？很多媽媽不懂為什麼小孩那麼不愛吃，其實就是太難吃啦。

◎一歲前，給不給調味食物？

以往的觀念	一歲前絕不給調味過的食物，能堅持多久就多久。
黃瑽寧醫師建議	少許調味能增加食慾，可讓寶寶跟大人一起清淡吃。
林姓主婦作法	• 自己做的副食品不調味：利用食材天然的味道讓食物有滋味。 • 其他食物：只要是清淡的原型食物，都會讓寶寶試著嚐嚐。

觀念3 副食品應該只能用蒸或燙的吧？

很多人對於副食品的既定印象是食材只能清蒸或水煮，而一條龍作法，主要是在調味順序上動點手腳，爆香拌炒的程序我不會刻意修改，只要煎炒就多少會用到油，有人會問，給寶寶吃到油沒關係嗎？

其實**讓寶寶從副食品適度攝取到油脂是非常重要的**，像是為了拌炒所加的油、肉類、高湯的油脂，或是酪梨，都會幫助寶寶排便更順暢，很多寶寶在開始吃副食品後會有便祕的狀況，醫生甚至還會建議在食物裡滴幾滴油呢！

不用為了追求只能蒸或水煮，限制了烹調方式跟食物的滋味，炒過的洋蔥絕對比蒸的香甜，何不給寶寶吃比較美味的版本，讓他能對吃產生更多好感呢？

煎鮭魚時有些魚油被逼出來，我就直接淋在飯上給弟弟一起吃。

只要剔除肉上明顯過多的油脂，並且記得**幫寶寶挑選品質好的油**，像是初榨橄欖油、玄米油、酪梨油、葡萄籽油，玻璃罐裝為佳，就可以囉！

副食品只能蒸或燙？

以往的觀念	林姓主婦作法
食材用清蒸或水煮最好。	・不刻意避開拌炒作法。 ・請剔除明顯過多的油脂，並且挑選品質好的油。

建立屬於你們家的餐桌文化

藉由一條龍食譜，
趁早建立起屬於你們家的餐桌文化，
是我寫這本書最大的盼望。

我們哥哥三十九週出生時，體重兩千九百九十克，滿月時也不過養到三千七百克。他胃淺，喝一下就飽，又很容易吐奶。這樣就算了，他還兩個半月就厭奶，光餵奶就搞死我。

滿四個月時，果然，體重生長百分比從十五％掉到八％，瘦到完全沒有寶寶樣。醫生總說不要太在意生長百分比，有差不多維持住就好了，我不但沒有維持住，還往下掉。

不愛喝奶已是事實，我只能期待靠副食品扳回一城。還好，我有摸索出讓副食品變好吃的方法，哥哥都能吃到一個量。滿一歲時，體重百分比被我拉到二十五%，當時我鬆了好大一口氣，有種年度考核終於過關的感覺。

然後他就厭食了（劇情急轉直下）。

厭食的孩子，媽媽的難關

如前面所說的各種厭，讓我完全摸不著頭緒的厭。那時我總是特別做寶寶餐給他吃，每到他吃飯時間，我壓力山大，因為根本就不知道他會不會買單。有時做了覺得很有機會受他受青睞的寶寶餐，結果他一口也不肯嚐。我為他製作餐點的努力就白費了，很難不往心裡去。

他厭食至少三、四個月，過著幾乎成仙的日子，每天沒吃什麼，也沒喝多少奶，就靠光合作用長大，想想生命力真是堅韌啊。那段時間，我的心情好壞，基本上被他吃飯的狀況所綁架，患得患失的。我很討厭那樣的自己，但就是無法跳脫出來。

他吃不好，我擔心會影響他的生長，擔心他半夜會餓醒讓我加班（事後證明不重吃的小孩根本超耐餓，吃再少都照睡就是了），而種種擔心之下更深層的感受，是替在廚房辛苦的自己感到不值，有種為誰辛苦為誰忙的淒涼感。

轉變心態，媽媽與孩子都更輕鬆

就這樣被他折騰了好幾個月，有天我看破了。**既然無法強迫他吃，那至少能改變備餐的方式，把我的付出降到最無負擔的程度，就可以刪掉影響我心情的一大關鍵，也避免再因為「這是我犧牲休息時間，特別熬夜煮給你吃**

的耶，你怎麼能不吃？」這揮之不去的內心OS，在餐桌上不自覺情緒勒索他。

而且我發現，**我越刻意替他備餐，在餐點設計上越討好他，只會讓他接觸到的食材越來越少，變得越來越挑食，離跟我們一起吃飯的目標越來越遠。**

大徹大悟，停止為他製作專屬餐點後，我正式讓他跟著我們一起吃。**希望讓他就算不想吃，也能看著我們吃**，看久了總會對一些食物看出感情吧（？），**絕對比活在自己的世界裡，且是我一廂情願為他打造出來的世界好。**

我不再靠寶寶餐跟他豪賭一把，不然我總是在臆測他會想吃什麼，又常常猜錯（連他自己也不知道要吃什麼好嗎），結果經常是全有或全無，逼得我沒有退路。**跟著我們吃，他不想吃這道，那就吃那道，做不到什麼都吃，但也不至於會餓死**。說起來，那段時日的領悟，為我往後一條龍作法種下了種子。

我說不出來花了多久，某天一回頭，發現我們一家三口的餐桌文化，就這樣被建立起來了。哥哥的飲食習慣，也在這潛移默化的過程中，一點一滴往更好的方向改變。他一天到晚在旁邊看我們大快朵頤，慢慢會心癢，問那是什麼，好吃嗎？有時就會想嚐嚐。當然，在幼兒園的團體生活也發揮了一定的正面效果。

現在哥哥快七歲，不肯吃的食物還是有，但愛吃的食物已經多到我不用擔心營養均衡的問題。我已經接受，並且尊重他對於食物有很明確的喜好，但同時，我也知道他的飲食舒適圈持續在擴大。

最重要的是，他每天下課回家都很期待我要煮什麼，非常享受與我們一起吃飯，每晚在飯桌上吃著家常菜，分享一天的生活，是我們一家最幸福與放鬆的時刻。

當年的我，如果能穿越時空看到哥哥現在大口扒飯的樣子，肯定會覺得不可思議，感動

其實自己做的也不是什麼山珍海味，為何孩子總覺得是全世界最好吃？那是因為你已找到屬於你們家的家常味。

痛哭流涕。因為當時看著他吃飯的我，幾乎笑不出來。一家人在餐桌上談笑風生，邊吃邊聊的畫面對我就像偶像劇畫面般不真實。但幾年後，我們做到了。

滿六歲前打疫苗時，久違地在小兒科測量了生長曲線，哥哥的身高百分比已經達到頂標，而他看起來瘦瘦的，體重百分比竟然有七十五～八十五％！這讓我非常驚訝與欣慰，當年那個讓我煩惱到快起肖的孩子，終究還是好好長大了（但怎麼看起來還是像隻猴子呢）（醫生說可能是骨頭重啦）。

讓孩子好好吃飯的解藥
就在日常餐桌上

寫那麼多，我想說的是，**飲食習慣的建立是需要時間去累積的，副食品只是個開場白**。自己走過兩回，才知道**讓孩子好好吃飯的解藥，原來就在我們日常餐桌上**。

我們身為父母最該做的，就是以身作則，好好吃飯，培養出一家人的餐桌文化，**讓孩子很自然地跟著我們一起吃，這才是一切的本質**。

而這件事，越早開始，越好。

這本書所提出的解決方案，是在幫你們家的飲食習慣定下溫暖有力的錨，讓孩子從副食品階段就開始跟爸媽共食。即便原本零廚藝的爸媽，也能輕鬆學會許多營養美味的家庭料理，**讓屬於你們一家的餐桌文化、以及一起吃飯的儀式感，隨著孩子的成長逐步被建立起來**。

最美好的，是在這個過程中，你會看著咿咿呀呀的嬰兒，開始跟你說話。接著有一天，不會太久以後，你會發現他已經能在吃飯時跟你們聊起天來了。他會跟你點餐，說好想吃你做的〇〇〇。他會在外面吃飯時，轉頭跟你說，我覺得還是你做的最好吃。

你會納悶，其實自己做的也不是什麼山珍海味，為何孩子總覺得是全世界最好吃？那是因為你已經找到屬於你們的家常味，而當你意會過來時，會很欣慰，會微笑的。

朝那個方向，努力看看吧。

關於一條龍料理的4大疑問

什麼是一條龍？會不會很麻煩？關於一條龍，你可能想問的，我先回答。

Q1 林姓主婦這一條龍的作法，是不是餐餐都要靠現做，寶寶才有東西吃？而且說起來，我也不想每餐都跟寶寶綁在一起，我還是會想吃大人限定的垃圾食物啊（誤）。

主婦答：

喔不，我就是因為太懶了，才想出一條龍的作法，怎麼可能還餐餐現做呢？這不符合我的人設啊！其實一條龍的食譜菜，也能做成冰磚或「便當」，我通常煮好時，就會順手冰個兩

一條龍食譜菜也能做成冰磚，平常會順手冰一些起來，以備不時之需。

三份起來，本書也有教很多可以趁空檔製作好的手指食物。

如果當餐沒有要現做，或是想吃不適合分給弟弟的邪惡美食，我也能靠平常存的冰磚、冷凍的手指食物，或是用冰箱裡的食材做拌飯，變出豐盛的一餐給弟弟吃，備餐是很輕鬆隨意的，這本食譜會示範很多搭配的範例喔！

Q2 我帶小孩就夠忙了，真的無法想像還要煮這些料理！

主婦答：

為了弄副食品，很多媽媽無論如何都會擠出時間去煮，現在**差別只是換個製作邏輯**，讓自己也能一起好好吃飯而已，**整體花的時間還不見得會更多**（傳統副食品製作方式超繁瑣費工

手指食物一次做一批冷凍，就可隨時可加菜；冰磚便當也可把食材分別擺放。

的啊）。不然你忙完小孩的食物，還要張羅自己甚至家人的，不是累上加累？

而且一**條龍食譜很多都能事先做好**，如果白天真的被小孩纏到脫不了身，可以利用晚上小孩入睡後的時間煮，隔天熱一下就可以吃。弟弟比較黏人的階段，我也是這樣度過的。

所以**不是沒時間**，**是很多媽媽對製作副食品的奴性太重**，沒有把自己也要吃飯這件事情，一起考慮進去啦。

Q3 在調味之前，把食材取出來弄給寶寶吃，跟把食材直接分開清蒸有什麼差別嗎？

主婦答：

比較好吃耶，因為跟其他食材一起燉煮或

跟其他食材一起燉煮或炒，絕對比分開清蒸或水煮更好吃喔！

炒，會吸收彼此或是湯汁的香氣，也會吸附肉的油脂，絕對比每樣分開清蒸或水煮，有味道多了！

Q4 我們是忙碌的雙薪家庭，很嚮往一條龍的作法，但下班回家真的無力再開伙，這樣還有辦法執行嗎？

主婦答：

可以利用週末，從這本書挑幾道料理來煮，很容易就會配成一桌菜，讓你與另一半好好在家吃個飯。

煮的時候多備一些量，除了當餐直接給寶寶吃，也可以順便做成冰磚或便當，不知不覺就會做了好幾種口味，讓寶寶下週都有得吃，真的不夠的話再搭配市售寶寶粥也無妨，量力而為就好。

可趁週末煮幾道料理，全家人大快朵頤之外，也可順便做成冰磚或便當，寶寶下週就能吃。

關於副食品觀念的6大疑問

製作副食品前，有這些觀念當基礎，是媽媽的定心丸！

Q1 照著主婦的書，小孩就不會挑食了嗎？

主婦答：

我相信**一條龍的作法會讓寶寶在副食品階段，得到多元與豐富的飲食刺激**，能在啟蒙階段有這樣的開場，絕對有助於提高他們對食物的接受度，降低挑食的可能。

但有好的開始，就保證日後不挑食嗎？說實在我覺得不要對挑食這個議題有太多執念，連大人要完全不挑食都很難，更何況小孩就是個說變就變，令人摸不著頭緒的個體。我如果寫一本書就能讓小孩絕對不挑食的話，就要自行申請諾貝爾親子關係和平獎了（但是沒有這個獎）。

我看過小孩本來不挑，但隨著長大，比起吃更在意玩，就開始在餐桌上愛吃不吃，挑剔了起來。或是進了幼兒園看到別的同學都在挑，才發現原來可以選擇不吃喔（眼睛發亮）！就開始學著挑了。也有小孩長大後飲食的喜好變得更鮮明，越來越有個性，不再照單全收。

既然小孩要不要挑食，某種程度是我們無法預料的，那至少能努力**讓他們在還肯吃的時候，盡量拓寬他們的食物舒適圈**。這樣當他有天突然哪根筋不對，變挑剔了，那他食物舒適圈就算縮小，也可望比別的孩子相對大，家長不至於需要太擔心。

不要我們自己一開始就把寶寶的飲食之路

走窄了（基於我書上提到的各種餵養方式跟保護心態），本來能吃的就不多，長大還挑食起來，會讓爸媽感到萬念俱灰。

如果小孩最終還是出現非常挑食的傾向，爸媽除了繼續好好吃飯（故作鎮定也要堅強演下去好嗎），以身作則，無論孩子要不要吃，還是讓餐桌上的菜色營養健康之外，我認為也要試著降低標準，先以讓小孩不要偏食為目標。

因為有些小孩可能生性非常謹慎，就是很不願嘗試新食物；可能口腔或味覺敏感，很多食物對他來說吃起來很折騰。或是家長在育兒過程中有一些無法掌握的部分（像是請長輩幫忙帶），小孩有些習慣已經被養成。

面對這樣的孩子，要他什麼都吃是不切實際的期待，只會把大家搞到很痛苦，而且老實說，沒有什麼食物是非吃不可的，通常是爸媽的偏執太深。

如果肯吃的食物不多，但澱粉、肉、蔬菜或水果都有願意吃的食物，沒有到偏食的程度，那在營養的角度是沒有大礙的，媽媽可多多運氣深呼吸，睜一隻眼閉一隻眼，這段時間就先這樣過吧！

同場加映

一顆綠豆的故事

哥哥念的是蒙特梭利的幼兒園，他們學校吃飯的規矩是讓小孩自己打飯，決定每樣菜要吃多少，但每種都要拿一點，而且拿了就要吃完，練習對自己的決定負責。

「自由與紀律」是蒙特梭利的主要精神，講到吃飯也是一樣。他們讓孩子有決定吃多少的自由，也讓他們學習每樣食物都要至少嚐一點，以及拿了就要吃掉的紀律，我很喜歡這樣的理念。

園長跟我說，曾有一個孩子完全不敢喝綠豆湯，老師說那就吃一顆綠豆就好，於是每當學校點心是綠豆湯，他就吃一顆綠豆。到這小孩畢業時，綠豆湯早已變成他最喜歡的點心。

小孩面對食物有自己的好惡在所難免，只是程度輕重的差別而已。家長如果總是設下高標準，用強硬的態度強迫孩子一定要吃，後果通常不太妙，像是引發親子大戰，讓小孩徹底討厭吃飯等等；但如果不吃就隨他去，久了確實也會加深小孩對於特定食物的抗拒，讓挑食甚至偏食的情況日趨嚴重。

哥哥幼兒園的作法就很給孩子彈性，讓他們一點一滴增加對食物的認識、逐漸卸下心防。如今哥哥畢業了，多虧學校的潛移默化，他喜歡吃的食物越來越多，嚐鮮的勇氣越來越大。如果我早一點知道這個作法，趁小就開始這樣引導，我想哥哥當年應該就不會經歷那麼慘烈的挑食期。

從副食品階段就開始執行一條龍作法，漸漸培養全家一起吃飯的習慣，再搭配自由與紀律的用餐規矩，我想孩子會吃得很不錯的！

同場再加映（很愛聊）

一條龍在哥哥身上產生的蝴蝶效應

弟弟大概六個月就開始食神附身，火力全開嘗試各種食物，不管是吃我的一條龍料理，或是跟著我們嚐一些輕調味的原型食物。既然他樂於嘗試，我們就盡量做到我們吃什麼，他就吃什麼，弟弟因此很早就邁向美食的康莊大道，成為嬰兒老饕。

對吃相對很謹慎的哥哥，在一旁看著弟弟把一堆他打死不肯吃的東西狂塞進嘴裡，還很愛吃青菜，簡直快吐了，好幾次皺著眉頭問我弟弟怎麼願

意吃那些東西（當弟弟在吃屎逆）。

但人性是很微妙的，我跟老公忘情享受著美食，跟哥哥說很好吃，來吃吃看啊！他有時還是會半信半疑。可是當弟弟加入我們的行列，也大口吃著，哥哥一秒變成唯一的局外人，只能看著我們大快朵頤。感覺就像是個路人甲，路過排隊美食，卻連人家在紅什麼都不知道，很難不在意起來。

可能是出於湊熱鬧的心態，或是看弟弟愛吃就莫名想搶食的手足競爭心態，過去這一年，哥哥多次在弟弟爽吃的時候吵著說也要吃，很多是他原本沒有興趣的食物。有的他一吃就發現很好吃，意外跨了一個坎，有的可能吃了還是不愛，但對我來說，只要他肯嘗試，都再好不過，都是進步。

一條龍的魔法不僅對寶寶有用，還會隱約影響家中其他幼童。如果你家也有讓你頭痛的挑食大寶，那你絕對要用很正面、開懷的心態，積極讓二寶或三寶透過一條龍料理，跟你們一起享受美食。

總之，面對挑食的孩子，與其拚了老命去改變他，在餐桌上不斷挑戰他味蕾的極限，不如把鏡頭放下，轉移重心，**朝「塑造出開心吃營養美食的環境」**努力，拉著二寶三寶一起爽爽吃，**透過氛圍去改變孩子對食物的觀感，以退為進**，我相信時間久了，蝴蝶效應就會出現了。

Q2 很多人都說一歲前主食是奶，副食品多少有吃就好了，不用那麼認真吧？

主婦答：

我覺得這個觀念有點被過度解讀了耶。

吃副食品的終極目標，是讓寶寶一歲起就能順利銜接到全家人的餐桌，跟大人一起共食。滿一歲後，固體食物吃得均衡營養才是重點。

那大家想想，對寶寶而言，吃是需要練習的。如果家長覺得反正一歲前主食是奶，就用很消極的態度給副食品，滿一歲後，又怎能期待小孩一步登天，突然愛上吃固體食物呢？這中間肯定是有個磨合過渡期的，卻很容易被「一歲前主食是奶」這句話給模糊掉。

我想確切而言，應該說**六個月前的主食是奶**，四～六個月雖然開始吃副食品了，但量不會大，也不該大，和和氣氣吃個開心就好，主要還是靠奶來提供養分。

六個月到一歲之間，主食權會進入移轉期。

此階段寶寶有喝到足量的奶還是很重要，但**也要態度積極、循序漸進地讓寶寶練習吃副食品，確保寶寶的食物營養均衡，美味度跟變化度也夠，引導他們逐步將飲食重心轉到固體食物上，奶則會在過程中自然減量。**

這下大家應該能明白，寶寶這半年的進食情況與需求，其實不適合用「一歲前主食是奶」來一語帶過了吧。如果家長此時還是只求寶寶多喝奶，讓寶寶缺乏練習的動機與機會，他們當然很難愛上吃固體食物。所以啊，**爸媽對此觀念如何解讀，帶著寶寶往哪個方向努力，會大大影響孩子日後吃的狀況。**

我覺得不妨把「一歲前主食是奶」，理解

成「一歲前的寶寶一定要喝夠奶」，至於怎樣算夠，則需要適時隨著寶寶吃副食品的狀況調整，不確定該怎麼調的話可與小兒科醫生討論。盡可能在兩者之間，取得不至於顧此失彼的平衡，絕對不要一味追求將奶量極大化，輕忽了副食品的重要性喔！

◎副食品與奶量關係表

月齡	主食	爸媽心態
六個月前	主食是奶，副食品為輔。	以奶為主，副食品就是和和氣氣吃個開心。
六個月到一歲	主食權開始進入移轉期，寶寶仍需喝夠奶，但同時也要更積極練習吃副食品。	態度積極、循序漸進讓寶寶練習吃副食品，確保寶寶的營養夠均衡，美味度跟變化度也夠，逐步引導將飲食重心轉到固體食物上。
滿一歲後	正餐的固體食物能吃得營養均衡為終極目標。	順利銜接到全家人的餐桌，跟大人一起共食。

Q3 我寶寶X個月大，現在一餐大概吃XX毫升，請問這樣夠嗎？這樣算吃得好嗎？

主婦答：

一般媽媽在討論寶寶吃副食品的狀況時，會用吃幾毫升作為吃得好不好的判斷基準。我們先來想想，究竟怎樣叫做「吃得好」吧！

哥哥時期，我也跟眾多媽媽一樣，把寶寶粥的毫升（ml）數視為他吃不吃得好的主要指標。從這個標準看來，當時他確實算吃得不錯，中後期每餐可以吃個二五〇毫升吧，我還為此頗為得意，畢竟他是個瘦寶。

但用一條龍的作法餵養弟弟的過程中，我回頭看哥哥當年所謂的「吃得好」，以及想到他一歲後顯現出來的種種飲食問題，突然發現好像不是那麼一回事。

現在的我，對於寶寶怎樣才算吃得好，有了更深的體悟。我認為，**吃的量只是其中一點，吃的營養豐富度、對原型食物接受的廣度，以及是否有循序漸進增強咀嚼吞嚥能力，才是家長更應該關注的重點**。

小花一餐吃三〇〇毫升的寶寶粥，但裡面只有一點碎肉跟青菜，而且口感稀糊；小晴雖然食量普通，但一餐裡會直接吃到多樣原型食物，整體而言，小晴所獲得的營養絕對是比較豐富，培養出來的飲食習慣也能帶給她更長遠且正面的影響。

所以**光看副食品的毫升數，是無法完整反映出小孩吃的狀況的，更何況水分多寡也會影響毫升數呈現**。二〇〇毫升的五倍粥跟二〇〇毫升的三倍粥意義當然不同，**而不同食材所帶來的飽足感也大不相同**。媽媽們在那邊比來比去，其實沒有個比較基準，說穿了根本不知道是在比什麼。

弟弟的一餐，固體食物很難估算量，但他吃到的營養廣度跟型態都讓媽媽很放心。

我希望藉由這個討論，能讓家長放下對於ml數的執著，轉移到對的方向去努力。不然從當媽第一天起就被自己擠出來跟小孩喝進去的ml數給逼死，之後又被寶寶副食品的ml數糾纏，整天ml來ml去的，日子要怎ml過下去（好爛的諧音梗）！

像弟弟，一餐之中可能吃了一碗洋蔥肉末拌飯＋一塊紅蘿蔔煎蛋＋一塊鯖魚＋一小盤青菜。後面那串固體食物很難估算量，我也不會刻意去計算，心情反而輕鬆無比。我很自然地更留意他吃到的營養廣度，以及他吃到的型態（就是我一直強調的不要都混在一起啦），更勝於量。

至於寶寶有沒有吃夠，其實他們當下就會告訴你，吃夠了就會開始撇頭、揉臉裝累（但改給米餅的話又會瞬間活過來呢）、用舌頭把食物頂出來、玩跟丟食物（也就是媽媽開始倒抽一口氣的那個moment）。說真的其實媽媽都知道小孩不想吃了，只是還是會想多拗幾口。

反之，如果寶寶還想吃，媽媽也一定能感覺得到（而且少來啦，十個媽媽十一個會準備太多，很少媽媽在那邊不夠的）。再來就是觀察長睡眠的狀況，如果都能順利入睡，也睡得安穩，那就代表他一整天攝取的熱量對他而言是足夠的。最後就是看生長曲線，有大致維持住就不用太擔心。

◎怎麼判斷副食品吃得好不好？

以往的觀念	十分在意寶寶吃的量。
林姓主婦觀念	吃的量只是其中一點，吃的營養豐富度、對原型食物接受的廣度，以及是否有循序漸進增強咀嚼吞嚥能力，也是應該關注的重點。

Q4 我看XXX的小孩副食品階段也沒吃什麼，或是當年也整天只吃泥跟粥，但現在還不是長得好好的，吃東西看起來也沒什麼問題啊，有必要發摟什麼一條龍嗎？

主婦答：

我始終覺得，面對副食品，家長**心態可以輕鬆淡定**，**但觀念手法要正確**，畢竟誰都不敢保證，自己的寶寶會是安然度過的那個，更多的是被小孩飲食問題搞到快起肖的父母。

坊間有許多不同的副食品作法，大家選擇自己信賴的執行就可以，一條龍當然不是唯一的一條路。

但一**條龍的作法**，**讓我心裡很踏實**。一來在過程中我沒有受什麼委屈，二來我知道這套餵食方式，**會幫弟弟建立起更全面的飲食觀**。這樣幫他打底，就算未來他有天還是給我挑食或是愛吃不吃了起來，我心裡也不會有遺憾。

簡單說我就認了，因為我知道當年我有往正確的方向努力，不是因為當初我給副食品的方式，限制了他對食物的認識，造就了他偏頗的飲食習慣。

不怕有遺憾，大概就是最好的辦法了，這就是為什麼我很想推薦給新手媽媽們試試看一條龍料理的原因。

Q5 到底怎樣叫做跟大人共食？真的很難想像一歲就能做到耶。

主婦答：

滿一歲後，小孩就可以跟著大人一起吃，至於能一起吃到什麼程度，取決於小孩的咀嚼吞嚥能力、對食物的接受廣度，以及大人的飲食習慣。

如果小孩在副食品階段已經把武功都練好，但大人吃得很重油重鹹、熱愛加工品，整天在那邊吃炸雞排飯（胡椒多一點謝謝）還加點香腸再配貢丸湯，那當然不適合讓小孩無縫接軌跟著吃。如果你們家的飲食本身很健康清淡、營養均衡，小孩絕對可以在一歲，甚至更早之前就開始跟著吃。弟弟大概十個月就可以跟我們從頭到尾一起吃。

又或者，大人的飲食很清淡健康，但小孩的咀嚼吞嚥能力較落後，對食物接受度低，這個不吃那個不要，那一歲後也是需要花點時間才能讓小孩一起吃。

無論如何，這件事不是只能全有或全無，即便雙方還沒有完全準備好，大人還是可以邀請孩子上桌，再一**起磨合調整**。慢慢地，可能本來只有一道菜適合小孩吃，但隨著小孩長大、大人口味修正，就會變成整桌菜都能讓小孩吃。**越早達到這個境界，負責備餐的人就越輕鬆，一條龍其實就是這個精神囉**，跟著食譜一直練習下去，很快你就可以一次搞定全家了。

Q6 我的寶寶食慾不錯，給什麼都吃，我都怕他吃太多，要不要控制一下食量？

主婦答：

就如我一直強調的，關鍵還是在於小孩到底吃了些什麼。

如果寶寶吃得均衡營養，且都是天然、原型的食物，寶寶願意吃就讓他吃，事實上這樣吃的寶寶，吃多也不至於會虛胖。反之，如果寶寶吃很多，但主要是精緻澱粉或是高糖分的水果，甚至餅乾零食也經常大放送，那就需要改變一下飲食習慣了，**所謂的改不是去限制量，而是改給健康形態的食物**。

總之，這個問題的根本，還是回歸到家長跟主要照顧者的觀念，**吃多少不是絕對的重點，吃什麼才是**。

two

一條龍副食品料理，怎麼做呢？

“理解了一條龍料理的大觀念以後，接下來要怎麼動手呢？製作前，抱著輕鬆的心先讀本章，能讓副食品之路事半功倍！

一條龍副食品料理使用說明

只要學會調整「口感」的方法，
就可輕鬆把一條龍料理變成寶寶版！

本書的食譜菜，都是我隨著弟弟成長時製作的，做好時我速速拍完照，就轉身拿去餵他，每道都是他實際吃的狀態。

因為不想浪費食材，為了寫書拍照而做成他當下不適合吃的型態，我就沒有針對不同月齡去示範該怎麼吃。不過事實上我也認為不需要，一條龍的作法非常自由直覺，媽媽只要知道以下重點，就可以輕鬆轉換成適合寶寶吃的型態。

影響寶寶對食物喜好的3大關鍵——口味、口感、外觀

前面提過，寶寶吃東西時，三個最影響他們喜好的關鍵就是口味、口感跟外觀。

關鍵❶——口味

因為我很重視靠食材提味，跟著這本食譜，你做出來的口味已經有基本的贏面。

關鍵❷——外觀

外觀，就是照我建議的，多把食物單獨挑出來給寶寶吃，以及多給原型食材的手指食物，藉此讓他們雙方有更多坦誠相處的機會，累積情感。

關鍵❸——口感

唯一需要你們隨寶寶吃的進程調整的，就是口感了，而講到副食品的口感，基本上只有三**個變數需要依情況調整：**

方法① 調整粥飯的濃稠度，也就是水分多寡

初期都是從十倍粥開始，隨著寶寶長大，逐步減少水分比例，做成七倍粥、五倍粥、三倍、燉飯到白飯，每個小孩進度會不太一樣。

無論你今天想要用哪道一條龍料理跟寶寶一起吃，都一樣照一般煮飯程序準備，只要另外搭配寶寶適合吃的粥飯即可，或將一條龍的粥飯料理調整成寶寶適合的濃稠度。

如果準備時發現過於黏稠，可以直接補點開水或熱過的高湯，攪勻就可以給寶寶吃。如果是想把大人吃的炊飯或是拌飯弄給寶寶吃，可以取適量到一個小鍋，用高湯或水熬煮至米粒變軟，就可以變成寶寶粥的口感。

反之，如果發現太稀了，那就補點白飯進去喇喇，對於已經能吃顆粒口感食物的寶寶來說，是能夠駕馭的。

十倍粥。

一條龍的粥飯料理，也可隨需求調成寶寶適合的濃稠度。

寶寶都是從泥、顆粒一路練習，視當下咀嚼能力調整。

方法② 調整食物的粗細程度

寶寶都是從吃泥、小顆粒、大顆粒一路練習，直到有天粗略剪過或是不用剪就可以吃，所以只需要看寶寶當下的咀嚼能力，把食物處理成適口狀態即可。

方法③ 調整食材的軟硬程度

可想而知，月齡越小的寶寶，會需要吃比較軟爛的口感。在做一條龍料理時，因為大人也要吃，所以整體而言會以大人喜歡的口感來斟酌烹調時間，不然食物口感一旦燉爛了就回不了頭，大人吃的時候可能會覺得美味打折。

那寶寶需要吃更軟爛的口感怎麼辦？其實很簡單，把寶寶要吃的部分取出後，再拿去蒸或煮一下即可，這樣就可以顧及雙方的需求，誰都不委屈。

對新手媽媽而言，副食品看起來撲朔迷離，但說穿了就是這樣。不管食物再怎麼變化，只要掌握住這三個變因去調整料理方法，就可以變成寶寶也能一起吃的型態。還真是江湖一點訣，說破不值錢哪。

◎ 影響寶寶喜好的3個關鍵和因應方法

口味	本書食譜重視使用食材提味，滋味天然而美味，跟著做就好。
外觀	多把食材單獨挑出來給，讓寶寶有機會多認識食物，熟悉並累積情感。
口感	①調整粥飯的濃稠度（水分多寡） ②調整食物的粗細程度 ③調整食材的軟硬程度

寶寶版的親子丼，蛋需要全熟，就另外移到小鍋煮。

分食給寶寶吃的5個步驟

看完前篇，了解如何調整成寶寶能吃的口感後，再看看我是如何一步步將一條龍料理變化成寶寶也能一起吃的版本吧！

分食給寶寶吃的5個步驟

步驟①：依照食譜中的建議時機，將想要給寶寶吃的食材取出。

步驟②：依照寶寶當下的咀嚼能力，將食材處理成適合的口感。

步驟③：優先以調色盤方式擺放於盤中，並搭配米粥，方便分別餵食，也可直接混成寶寶粥。

步驟④：可視餐點內容跟寶寶食量加菜。

步驟⑤：若料理屬燉煮類，湯汁充滿食材香氣的話（像是番茄牛腩、番茄甜椒燉雞腿、或是雞湯），可取一些湯汁拌入米粥，讓寶寶嚐到更多味道。

步驟①
依照食譜中的建議時機，將想要給寶寶吃的食材取出。

這邊要再次說明，我是依循黃瑽寧醫師近年提出的新觀念「少樣多樣化」在執行，也就是**不再去刻意區分高敏或低敏食材，也沒有任何餵食順序的建議**。

只要是天然（蜂蜜除外）、合適的口感（堅果等太硬的除外）、無調味或清淡調味的原型食物（我以無調味為主），我都會給弟弟嘗試。如果擔心過敏，初期少量給予即可。

我唯一有延後到六個月才給的是蛋跟肉，這是我個人的折衷作法。每個寶寶的體質不同，家長都可以依照孩子的情況去微調，必要時請諮詢小兒科醫生。

看這本書的家長，不用拘泥過多細節，只要

這是食譜中的水梨雞湯，我把水梨、雞腿肉、紅蘿蔔跟紅棗都挑一點出來。

掌握前述的大原則，讓寶寶自然而然跟著你們餐桌上的菜色練習吃副食品，從中獲取營養，同時訓練腸胃過敏耐受力，就好了。

回到本段重點，我自己是只要**能完整取出的食材**（像是燉爛的番茄就算了，反正湯汁裡也會吃到），**就會弄給弟弟吃**，你也可以這樣做，或是替寶寶挑選其中幾樣食材。

步驟② 依照寶寶當下的咀嚼能力，將食材處理成適合的口感。

新手父母或長輩很容易低估寶寶的咀嚼能力，覺得他們牙都沒長幾顆，還是把食物弄成泥狀或是煮成軟爛的寶寶粥最安全，只敢讓他們用吞的，無法相信寶寶有辦法咬東西。甚至寶寶已經受夠吃泥或吃粥了，大人卻還不敢放手，進而影響小孩的食慾。

其實寶寶的咀嚼主要是靠牙齦，就算是哈買兩齒，也完全吃得了。有的寶寶牙齒長得慢，到一歲也才長兩到四顆，但在餐桌鬥志驚人（老二特別容易出現這種強烈的求生意志），炒飯、肉塊全都吃，大人的食物對他們而言只是小菜一碟。因此**在顆粒大小上，我會鼓勵家長盡量去挑戰寶寶**，如果先入為主擔心寶寶咬不了，而總是把食物切得過細碎，只會讓小孩的咀嚼吞嚥能力進展更慢。

一條龍是隨餐剪，進可攻退可守，可大膽點，每隔幾天就把顆粒放大些。如果小孩吃了不習慣，當下拿剪刀多剪幾下即可。**這樣慢慢訓練，小孩會吃得越來越好，對食物更是來者不拒**。

當寶寶越吃越大塊，你可能會在峰迴路轉後，又在寶寶的便便中發現食物的芳蹤，有種緣來就是你的感覺（才沒有！），特別是紅蘿蔔、玉米、菇菇、豆類跟蔬菜渣。但即便如此，寶寶還是有吸收到養分，只要排便習慣跟生長曲線正常，就不用擔心。你可以針對這些比較難消化的食材，相對切細一些，不用因此整個退縮走回頭路，又開始給小孩吃泥或是把食物都切超碎。

順道一提，一條龍會把每樣食材都盡量獨立出來讓小孩吃，爸媽可以利用這個優勢，順勢給寶寶「複合式」的咀嚼訓練。

像是軟爛的紅蘿蔔就剪大塊一點，帶點脆的木耳就剪碎一點，細嫩的魚肉就大塊一點，比較有口感的牛肉就把肉絲剁細一點。或是當餐食材對小孩來說都剛好比較需要咬，那搭配的米粥就稀軟點，也可以全都剪碎拌進米粥裡讓寶寶一起吃，給他喘口氣的空間。

依照食材口感去調整，讓小孩在一餐中，有些東西輕鬆咀嚼就搞定，有些東西則要認真多咬幾下才能吞，藉此刺激他們的口腔運動。

步驟③

優先以調色盤方式擺放於盤中，並搭配米粥，方便分別餵食，也可直接混成寶寶粥。

大原則是盡量把食材單獨挑出來，讓寶寶可以各別吃到，特別是肉跟蔬菜，因為這兩樣是小孩最愛挑食的關卡，我希望讓他們從小就有足夠的機會練習直接吃，降低往後不肯吃的風險。其他食材就可以很隨性去決定，看是要分出來餵，或是拌進米粥裡都可以。

但有些料理的食材本身已經被切得很細碎，不方便分別取出，或是寶寶食量還不大，只吃小小一碗，那就直接混成一份寶寶粥就好，製作時保有方便與合理性也很重要。

可視需求或是料理，選擇將食材分別給予，或是混成寶寶粥。

手工製作的板豆腐，充滿淡淡豆香，清蒸或是加點柴魚高湯再蒸，弟弟就吃得很高興。

步驟④

可視餐點內容跟寶寶食量加菜。

請參考〈做副食品前，要先知道的大觀念〉中「如何替寶寶及全家人搭配出營養均衡的一餐」（P.36），了解重要觀念及搭配的方式。

我最常給的就是蛋或豆腐，因為準備上最方便，營養也豐富，本書有好幾道相關食譜可參考。等弟弟更大些，我也會直接蒸一小盤毛豆，他咀嚼能力跟上後，就可當手指食物，一顆顆自己拿起來吃，方便又營養！

直接把食材跟米粥、雞湯混合在一起，就變成超級無敵好吃的水梨雞湯寶寶粥。

步驟⑤ **若料理屬燉煮類，湯汁充滿食材香氣的話，可取一些湯汁拌入米粥，讓寶寶嚐到更多味道。**

總結一下，在寶寶不同階段，可以分為以下四種進食型態，都可以從一條龍的料理中自行變化出來：

- **單口味食物泥或單口味米粥：**詳見「林姓主婦手把手教你怎麼開始第一步」（P.95）的說明。

像是番茄牛腩、番茄甜椒燉雞腿、或是雞湯，可取一些湯汁拌入米粥，讓寶寶嚐到更多味道。

寶寶粥：六個月起，就可以把想要給寶寶吃的食材處理成合適大小，混進米粥裡，讓寶寶吃。

簡單定食餐：寶寶粥吃個兩三個禮拜，吃得很習慣後，就可以開始讓餐點橫向發展，除了吃粥，也另外讓寶寶開始練習直接吃蔬菜跟肉。

豐盛定食餐：寶寶粥＋菜＋肉也吃得很好時，就可以繼續增加副菜或手指食物，讓寶寶吃得更豐盛。

同場加映

如何給寶寶吃魚？

我經常給弟弟吃魚，因為營養價值高、對寶寶來說很好咀嚼消化，而且魚的種類非常多，吃不同的魚就會攝取到不同養分，再理想不過。

可惜哥哥嬰兒時期我習慣做冰磚，因為魚不適合做成冰磚再復熱，就很少弄給哥哥吃。弟弟時期我不再依賴冰磚，想給魚的時候就直接清蒸一小塊，弟弟的伙食整個比哥哥好很多！

弟弟最常吃的有鮭魚、無鹽漬的去刺鯖魚、無刺白帶魚卷、鯛魚魚下巴、鱈魚，這些魚種的特色是魚刺少或是已經去刺，而且新鮮的話，清蒸就很好吃。

至於怎麼給一小塊呢？我現在都習慣買真空冷凍包的魚，保鮮度最佳，在吃之前從冷凍櫃取出，放到室溫擺幾分鐘，待表層開始冒白霜、微解凍後，就趕緊分切，再把剩餘的放進夾鏈袋或個別真空包裝後再冰回冷凍。之後要吃的話，就可以只拿出一塊清蒸給寶寶吃，非常方便。

我很常買的新合發，後來推出了單包裝的寶寶魚塊，目前有賣鮭魚、無鹽漬鯖魚跟白帶魚捲，我會定期補貨，省下自行分切的時間。

市售寶寶魚塊很方便，不然自己分切也可以喔！

除了上述的魚，弟弟也會跟著我們餐桌的菜色，不時吃到其他魚種，像是肉魚、赤鯧、吻仔魚、剝皮魚、鬼頭刀魚，這些我們都很常一起吃。

○生鮮食材如何保鮮？

在這邊也要順便教大家一個生鮮食材保鮮的重要觀念，知道後會影響你往後採買的習慣。

以前我會上傳統市場或是在Costco，一次買一批雞、豬、魚跟海鮮，再回家分裝冷凍，但後來才知道這樣做其實並不保鮮。

主要是因為家用冰箱的冷凍速度不夠快，無法有效鎖住食材的鮮度。而且生鮮食材被放在冷藏區（傳統市場甚至是常溫）販售的過程中，鮮度也不斷流失，買回來再冷凍，其實能保留到的鮮度都是打折過的。再說，除非在家有使用真空包裝機，不然如果只是拿個塑膠袋包一包就丟冷凍的話，會因為密封度不佳，讓食材水分流失，更會吸附冰箱異味。

所以記得，**在傳統市場買的，當天就吃掉。在超市買的冷藏肉，也於保存期限內吃掉。無法頻繁採買，需要囤貨在冷凍櫃的話，務必買真空冷凍包裝的**，要更新觀念喔！

寶寶吃副食品的4大黃金守則

此章節會依照寶寶的月齡給予餵食大致的建議，每個寶寶狀況不同，只要掌握住大方向，照顧者再以小孩實際的狀況去因應調整即可。在開始之前，家長務必要知道以下是攸關飲食安全的重要提醒：

餵食寶寶的4大黃金守則

1 寶寶進食時，大人一定要全程要在旁邊看著。

2 一歲前不給蜂蜜。

3 不給口感太硬（堅果）的食物。

4 不給寶寶直接一口吃形狀渾圓、且口感扎實（如整粒葡萄、起司球）的食物。

不同階段的副食品餵食重點

4～6個月：嚐鮮期

吃固體食物的初體驗，吃多吃少不重要，保持愉悅、輕鬆練習就好。

此階段副食品餵食重點整理

○餵食副食品次數：每日一次。
○餵奶次數：照舊，一般是五頓。
○餵食時間點：中午前，餵奶後。

台灣的小兒科醫生一般建議，寶寶四個月就可以開始吃副食品。這個階段的寶寶，奶還是最主要的營養來源，給他們吃副食品，不是為了吃飽，或是從固體食物裡獲得什麼養分，而是為了讓小孩知道，原來嘴巴張開不是只能喝奶，讓他們開始適應食物的口感與味道，並且慢慢練習咀嚼與吞嚥。

除此之外，這個階段讓寶寶嘗試副食品還有一個重大任務，就是要測試寶寶的過敏反應，**在寶寶四到九個月時，是透過食物去訓練免疫耐受性的黃金期，這個階段他們能接觸到越多天然食材，讓腸胃上越多免疫課，長大後反而比較不會容易過敏。**

此階段餵食的重點提醒

初期嘗試新食材的高峰期，請安排在中午前餵食，如果寶寶出現過敏反應，還來得及帶去看醫生，或是讓小孩有足夠的時間代謝，不至於影響晚上長睡眠。

而確切的餵食時間，可以抓午餐奶之後。假設寶寶早上第一頓奶是落在七、八點之間，午餐奶大概就會是在十一、十二點左右，那午餐奶之後半小時（喝完奶讓寶寶休息一下），就可以給寶寶吃點副食品了。

之所以抓午餐奶之後餵食，是因為當寶寶吃副食品的習慣建立起來後，這頓奶會自然被戒掉，如此一來，寶寶吃副食品的時間就會很接近午餐，**進而培養吃午餐的作息**。

比較麻煩的是這月齡的寶寶還很容易動不動就昏倒，弟弟就曾吃到睡著，就算大致有作息，也都還在磨合調整中，所以變需要照顧者依照寶寶當下的體力狀況，隨機應變去找合適的餵食時機。基本上會度過一段手忙腳亂的日子，像是副食品準備好了結果寶寶睡著了或累了，打亂原本的餵食計畫。但反正這階段就是嚐鮮，就給他亂吧，總要經過一段時間的練習，才會找出最好執行的SOP，沒事的！

副食品餵食時機參考

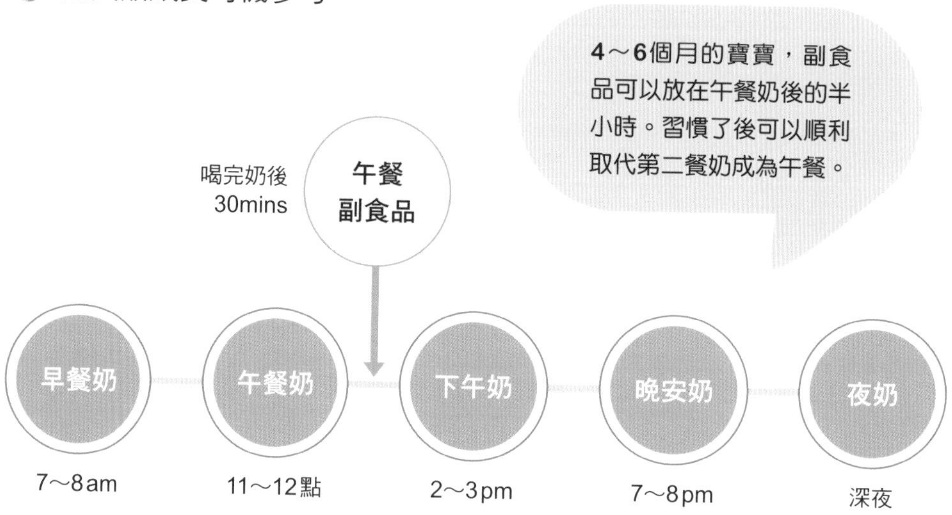

餵食心態：保持愉悅、放輕鬆，讓寶寶淺嘗即可，無需追量。

這個階段，寶寶只要能吃個幾匙、開開眼界就很好了。無論寶寶對食材初體驗的反應如何，都不用往心裡去，或是給他貼上「天啊我的寶寶不愛吃副食品」的標籤；反之，就算看寶寶吃得很好，也不需立馬衝去廚房想要多弄一點繼續餵，見好就收。

進食方式：可以讓寶寶坐在安撫椅或是推車提籃上。

這個階段的寶寶還無法直立坐好，放到兒童餐椅上會整個東倒西歪像痞子。在這過渡時期可以先讓寶寶坐在安撫椅上吃，沒有的話也可以坐推車提籃先擋一下。等六七個月可以坐挺了，再換去兒童餐椅。

外出餵食方式：此階段若外出，直接給奶就好，如果一週只是頂多落掉一兩餐的話，不用在意。

口水疹因應方式：餵食前以清水擦乾寶寶嘴邊，再上一層凡士林。

這個月齡的寶寶本來就容易有口水疹，開始練習吃副食品後，可能會因為受食物物質的刺激，讓口水疹變嚴重，很多媽媽會嚇到不敢餵。

可以試著在餵食前，先幫寶寶把嘴邊的口水以清水洗淨、用紗布巾輕輕拍乾，接著在嘴的周邊上一層薄薄的羊脂膏或是凡士林作為阻隔。

這是小兒皮膚科醫師教我的「預防保護」措施，對弟弟很有用，但如果口水疹已經很嚴重，還是要去看醫生喔！

林姓主婦手把手教你怎麼開始第一步

步驟① 從十倍粥開始

所謂十倍粥，就是指煮米的水量為米的十倍，像是三十克的米，對上三〇〇毫升的水。十倍粥煮好後，再用調理棒或果汁機打成米糊，分裝成冰磚，要餵寶寶之前，把需要的份量取出加熱即可。隨著寶寶長大，水的比例可以逐漸降低，像是做成七倍粥（四十克／二八〇毫升）、五倍粥（五十克／二五〇毫升）、三倍粥（一百克／三〇〇～二〇〇毫升），直到寶寶可以跟著大人吃白飯。

以十倍粥的米糊作為給寶寶吃的第一口副食品，是很安全與保險的作法，濃稠度也很適合寶寶吞嚥。

食譜
RECIPE

十倍粥米糊

材料：

・四分之一杯米

・兩杯半的水

作法：

①四分之一杯的米洗淨瀝乾。

②米倒入內鍋，再加兩杯半米杯的水，外鍋加一杯水開始煮。

③煮好後打成質地均勻的糊狀，即成十倍粥。

除了用米的克數跟水的毫升數抓比例製作，也可比較隨性用目測的，我都是用米杯裝米到四分之一處，把米洗淨瀝乾後，倒入內鍋，再加二杯半米杯的水，外鍋加一杯水，煮好後打成質地均勻的糊狀，十倍粥就完成啦！

頭三天，我每天給弟弟吃個幾口就收工。

步驟②
接著開始給根莖蔬菜類

吃米糊三天後，我就開始添加根莖蔬菜類的食材了。

我每天開伙，冰箱總有新鮮食材，我就是打開冰箱看有什麼合適的，像是剪一些蔬菜去燙熟弄成泥，或是蒸一塊地瓜或南瓜，也可能從我煮的料理中，趁調味前撈料出來磨碎給弟弟吃。**食材可以弄成泥直接給寶寶吃，也可以混進米糊裡讓味道溫和一些**。吃到後來我有時也會把食材相互混搭，讓口味多些變化。

到弟弟滿六個月時，他已搭著我冰箱的順風車，嘗試過以下食材：

南瓜、地瓜、紅蘿蔔、白蘿蔔、洋蔥、馬鈴薯、玉米、栗子、高麗菜、花椰菜、莧菜、大陸妹、A菜、白花椰菜、娃娃菜、甜椒、小白菜、番茄、山藥、紅棗、茭白筍、皇帝豆、毛豆、鴻禧菇、板豆腐、燕麥、蘋果、香蕉、芭樂、西洋梨、藍莓。

這裡示範兩種食物泥的變化方式。左半部是十倍粥米糊、南瓜米糊跟南瓜泥。右半部則是地瓜葉米糊跟地瓜葉泥。

不同階段的副食品餵食重點

6～7個月：爬坡期

開始要用更積極的態度給予副食品囉！

此階段副食品餵食重點整理

○餵食次數：增加到每日兩次。

○餵奶次數：午餐奶可順勢戒掉，變成四頓。

○進食方式：開始讓寶寶坐餐椅。

○粥的濃度：七倍粥～六倍粥，可以開始不打泥。

○餵食時間點：中午及傍晚，餵奶前。

此階段餵食的重點提醒

這階段**會建議開始改成餵奶前餵食**，因為**六個月後要比較積極讓小孩練習吃固體食物**，如果先給奶，讓小孩喝飽了，他們就比較沒有興致去練習嘗試。但如果寶寶已經餓到很躁動，可以先餵一半的奶，讓寶寶有點飽足感後，再給副食品。

另外一個原因是在這個階段，如果寶寶副食品吃得好，是可以順勢戒掉午餐奶的。先給副食品的話，寶寶飽足感夠，很自然就會喝不下奶，**照顧者會很好判斷戒奶時機**。

譬如，本來午餐奶會喝二一〇毫升，但改成先吃副食品後，可以觀察寶寶吃的情況，逐量減奶。像是先減個三〇毫升，看寶寶喝完還有沒有意猶未盡的感覺，如果喝完他可以順利撐到下一頓，那就代表他現在所吃的副食品＋奶是足夠的。往後每隔一段時間，隨著孩子越吃越多，再繼續酌量減奶。

反之，如果他喝完還是不滿足，奶瓶一拔掉就哇哇叫，那顯然飽足感不夠，趕快去補一些奶餵確保喝飽。接連幾天繼續維持同樣的奶量，但同時，積極去測試寶寶副食品是否能再多吃一點，讓進食量能逐漸被拉起來。

這樣來往測試幾個禮拜，若副食品吃的狀況穩定進步，會開始發現餐後的奶他變得愛喝不喝，剩的越來越多。如果頂多只能喝個幾十毫升，那就只是喝個開心而已，可以試試看直接拿掉那頓奶，觀察小孩反應。並可於下午奶增加奶量，確保一日攝取量足夠。

既然希望能順利取代掉午餐奶，讓寶寶養成吃午餐的習慣，**那只要肯吃，副食品的量就可以追上去，不再像4～6個月時只是玩票性質嚐嚐**。

第一頓副食品可以吃個八〇～一〇〇毫升的

話，或是東吃西吃可吃個十多口，代表寶寶已吃得很不錯，就可讓他練習吃第二頓副食品。

第二頓副食品我會建議在下午五點到六點之間餵，因為越晚寶寶體力會越差，在傍晚讓他們先吃比較保險。小孩會隨著長大，體力越來越好，屆時可以依照寶寶情況，慢慢將這頓副食品往後推延，到接近全家晚餐時間。

如果你的寶寶在第二頓副食品時總是因為太累而吃不好，在這個階段不用太擔心，只要確保午餐的營養夠均衡，第二頓副食品簡單吃點即可，就算吃不多，睡前也一定會讓他喝飽，不至於會影響長睡眠。這個情況隨著寶寶長大，體力變好後，作息更穩定會自然改善。

加入第二頓副食品的餵食時機參考

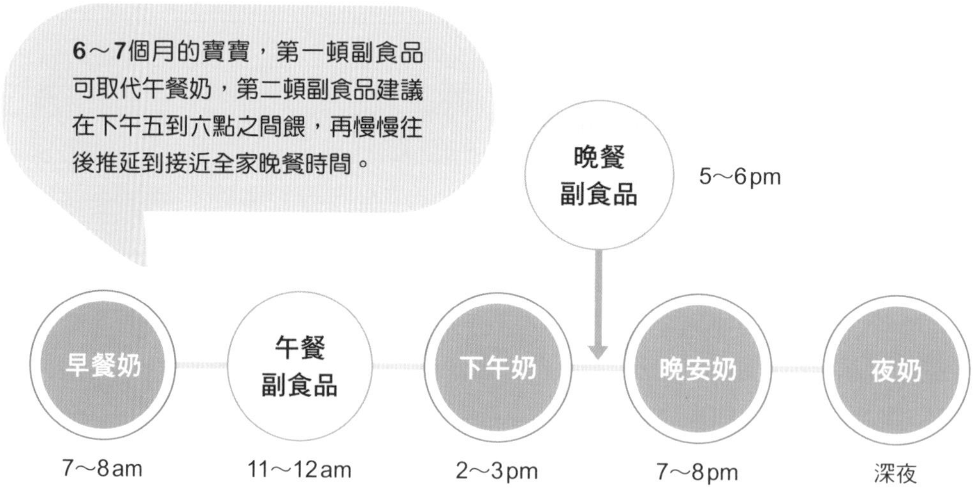

將洋蔥雞絞肉混進米粥裡，很適合作為讓寶寶吃肉的第一步。

此階段所有的肉類都可以開始給了。這時寶寶才準備要進入咀嚼的試煉，可以用我食譜裡的洋蔥雞絞肉（P.132）或是蒸魚讓寶寶嘗試，混進粥裡或是直接小口小口餵，都行。因為肉類比較需要時間消化，初期先在午餐餵。

當寶寶副食品越吃越好，就需要適時補充水分，不然奶量慢慢降下來，水又喝不夠的話，可能會便祕。可以讓寶寶試著喝吸管杯，如果一時還學不會怎麼吸，用湯匙餵也可以。

有的寶寶一學會喝吸管杯，就會卯起來吸，邊吸邊玩一下就喝掉半杯水。所以**不要在餐前讓寶寶喝下大量的水，也不要才開始吃飯就給寶寶猛配水**，不然喝水都喝飽了，食慾肯定受影響。我會等弟弟吃得差不多時，才開始給水，過程頂多讓他喝幾口潤潤喉。

不同階段的副食品餵食重點

7~9個月：穩定期

前面有打底好的話，這階段的寶寶逐漸走向穩定，很習慣吃固體食物，吃的量也會變多。

此階段副食品餵食重點整理

○視情況增加到每日三次，若沒有三次，至少要養成吃午晚餐的習慣。

○餵奶次數：維持三~四頓，午餐後已不需補奶，副食品吃得好的小孩，在這個階段也普遍不用夜奶了。

○粥的濃度：六倍粥到五倍粥，粥已經無需打泥。

○餵食時間點：早上餵奶後，中午及傍晚餵奶前。

此階段餵食的重點提醒

這個階段寶寶副食品應該吃得越來越好，奶量會開始自然掉一些。

食慾不錯的小孩，可能喝完早餐奶後，撐不到午餐就開始餓；有的寶寶則是因為厭奶，連早餐奶都喝不多。若出現這兩個跡象，就可開始給早餐了。早餐可以是燕麥（若奶量掉得多，可加母奶或是配方奶進燕麥裡）、成分單純的饅頭、麵包、吐司、炒蛋，水煮蛋等等。

這時他們早餐吃不多，而且也沒有希望他們吃太多，搞得午餐吃不下，所以不需要費心特

◎副食品增加到3次的餵食時機參考

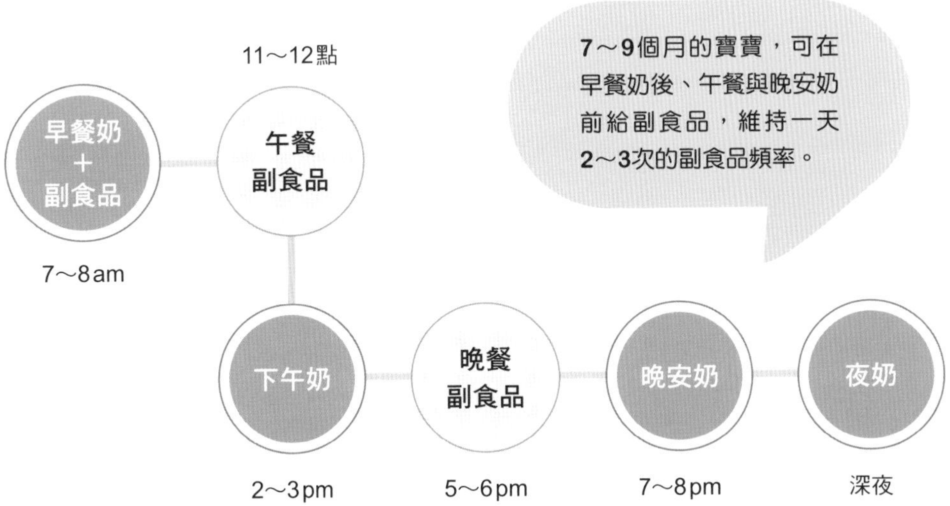

別準備，以照顧者方便就好，或是跟著大人加減吃一點。

這階段有的寶寶已經會開始搶湯匙，這是很正常的發展過程，可以多準備一支湯匙讓他拿好玩，再用另外一個湯匙餵食即可。

你也可能開始注意到寶寶對食物出現偏好，但即便如此，也不要認定寶寶就是不喜歡吃○○○，先入為主開始幫寶寶排除掉特定食物。無論寶寶吃之後的反應如何，都要持續用開闊的心態替寶寶準備食物，保持多樣化。

可以開始給手指食物

只要是適合用手拿起來吃的，都可以稱之為手指食物。

吃手指食物時，寶寶會不斷用手接觸到不同質地與形狀的食物，學習調整力道讓食物能順利被拿起再放入口中，整個過程不但**會刺激他們口腔觸覺，讓他們認真練習咀嚼吞嚥，也會刺激手部觸覺，訓練手眼協調以及抓握能力，對寶寶是非常重要的感覺統合練習。**

所謂的手指食物大致有三種型態：

第1種 直接把原型食物，處理成適合寶寶拿取跟咀嚼的大小

像是把紅蘿蔔切成塊狀蒸熟，或是把地瓜切成條狀再烤軟。只要家裡有合適的食材，就很容易變成手指食物讓寶寶練習。

這個進食方式能有效幫助小孩認識食物原型，如果一小朵花椰菜放在眼前，他拿起來看一看後，願意放進嘴裡啃咬，那他對花椰菜

的認識跟接受度當場就會提升到真愛層次，以後抗拒的機率就會有效降低。咬花椰菜的過程也會讓口腔動作獲得更多練習，對咀嚼有很大的幫助。這種型態的手指食物準備上最快速方便，可以優先給寶寶嘗試。

第2種 製作而成的手指食物

像是迷你漢堡排、米飯煎餅等，這本食譜有介紹很多種變化的口味。這類手指食物雖然不免需要花點時間處理，但寶寶吃起來會很有新鮮感，很多老嬰吃副食品一陣子之後會生厭，改吃手指食物通常會讓他們精氣神又活絡起來，**還可以讓媽媽在裡面塞一些「好料」**。我都會多做一些冷凍起來，需要時隨時可以熱給

把地瓜切成條狀再烤軟，就變成寶寶的手指食物了！

弟弟吃，忙一次就能輕鬆一陣子，投報率其實很不錯。

第3種 現成的加工食品弄小塊

像是麵包、饅頭，或是單個的義大利麵，只要用料單純，也可以給寶寶吃。

寶寶吃手指食物的重要提醒

很多家長擔心吃手指食物會嗆咳，其實重點在於食材的選擇以及大小。**初期我會建議先給質地軟而不爛、容易讓寶寶拿起、好咬的**，讓他們光靠舌頭就可以頂爛，吃起來就很安全。不過當然，**無論如何，寶寶吃東西時，大人一**

鮭魚玉米煎飯餅，不但當餐弟弟吃得開懷，還能冷凍保存，隨時加熱給寶寶吃。

定要全程在旁看著喔！

至於大小，**建議弄成可以讓寶寶一口放入、但又必須咀嚼才有辦法吞下的塊狀，大致像十元硬幣那樣，他們才會認真練習吞咬。**不要因為怕小孩咬不動，把食材切成丁狀，這種大小他們很容易覺得不需要咬就能吞，反而更容易嗆咳。如果食材合適，也可以處理成長條狀，讓小孩練習拿著吃，**不同的形狀會給小孩口腔帶來不同的刺激，對往後的語言發展會有正面幫助。**

特別提醒，偏脆的水果，像蘋果、芭樂、水梨，在初期都還不適合作為手指食物。我朋友曾給她寶寶一大塊芭樂，讓他拿在手上啃，想說只有兩顆牙應該不會真的咬到多少，沒想到一個角度就突然被咬下一大口，寶寶當場嗆咳，終於吐出來後，連之前喝的奶都全吐了，把他們嚇得半死。

水果可以從香蕉、草莓、木瓜、火龍果這種口感很軟的開始。藍莓雖然軟，但怕寶寶會不小心整顆吞下去，我會建議等小孩吃塊狀食物已經很熟練之後，才讓寶寶直接吃藍莓。

吃手指食物對寶寶成長是相當重要的過程，一定要給孩子多多練習，過程中密切留意小孩拿取、咀嚼跟吞嚥的狀況，適度調整食物的大小與口感軟硬程度，小孩就會越吃越好的。

（註：家長及主要照顧者，務必學會哈姆立克法，就算在餐桌上用不到，口腔期的寶寶也很有可能塞玩具到嘴裡，學著以防萬一囉。）

不同階段的副食品餵食重點

9～12個月：收成期

此階段的寶寶，副食品應該嘗試過各種食材了，也養成吃三餐的習慣，奶量會漸漸減少，變成以副食品為主。

此階段副食品餵食重點整理

○粥的濃度：五倍粥到三倍粥甚至乾飯。

○餵食次數：一日三次。

○餵奶次數：二～三頓。

這個階段已經到了副食品收成期，寶寶應該已大魚大肉，吃遍各種食材，也養成吃三餐的習慣。**進度快的寶寶，此時幾乎可以跟大人進行條件式共食**。若進度偏慢，還卡在三口組，吃過的食物也不多，那真的該火力全開衝一波，想辦法變換食物口味或型態去引起寶寶對吃的興致，不然一歲後老嬰真的更難搞喔。

如果此時寶寶還是愛喝奶勝過吃副食品，就要控制一下總奶量，寶寶才有機會感到飢餓。

如何幫助寶寶減奶量？

以下是幾個減奶量的方式，照顧者可以依寶寶情況挑選合適的下手，也可諮詢小兒科醫生的意見：

● **每餐奶都減量**：像是早餐本來泡二四〇毫升，改成一八〇毫升，以總奶量不超過六〇〇毫升為目標去分配各餐奶。

● **餐後不補奶**：讓寶寶知道以吃副食品為主。

副食品的餵食時機參考

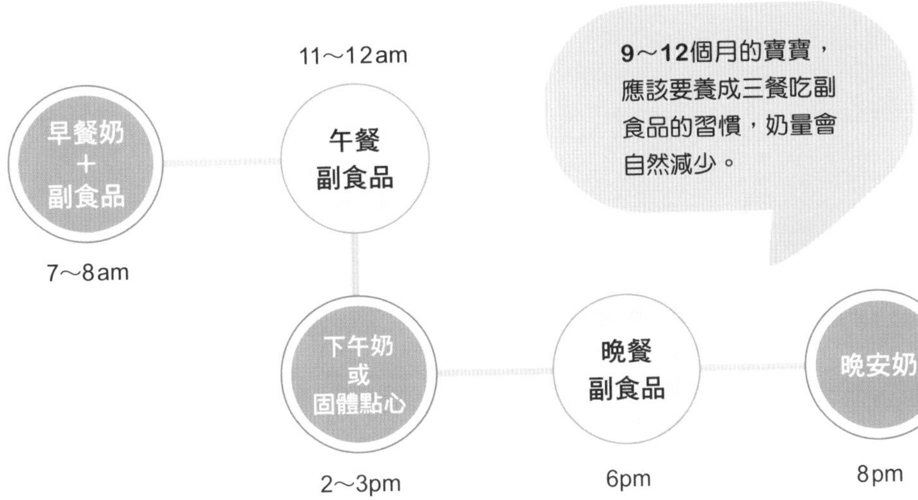

改用吸管杯喝奶：除了晚安奶外，其他頓讓寶寶改用吸管杯喝奶，因為吸奶瓶對寶寶來說很有安撫作用，一旦換成吸管杯，少了安撫感，喝的奶量就會自然減少。

全親餵每餐只餵一邊：若是全親餵，可以試著改成每餐只餵一邊，或是縮短餵奶時間。

若晚餐吃得好，這階段寶寶應該會自然不需要喝夜奶，正式睡過夜（很多甚至更早）。而若午餐吃得好，慢慢地下午點心奶也會越喝越少，屆時就可順勢戒掉點心奶，改給水果、燕麥、小餐包、地瓜等固體食物作為點心。

不同階段的副食品餵食重點

一歲後的改變

寶寶一歲後跟大人一樣三餐進食，奶通常只剩早晚奶，也正在慢慢學會自己吃飯囉！

此階段副食品餵食重點整理

○吃飯次數：一日三次，跟大人一樣。若是食慾好的小孩，午後可以吃一些點心。

○喝奶次數：只剩早晚奶，甚至更少。

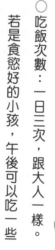

一歲後的改變

一歲後通常就只剩早晚奶了，正餐吃得營養均衡更重要。

生長開始趨緩，飲食習慣改變

以前我總以為隨著小孩長大，吃的量應該也要越來越多才是。直到自己當媽才知道，一歲前的小孩可說是風暴式的成長，一眠大一寸真的是沒在開玩笑，滿一歲時的體重可能是出生體重的三～四倍，為了應付這個生長需求，他們的進食量幾乎都會攀升。

如果期待小孩滿一歲後，吃的量還能持續增進，生長速度繼續飆，媽媽可能要失望了，因為一歲後就是不會再長那麼快，人體的設計就是這樣，不然我們會長成巨人。平均而言，寶寶在頭一年的體重會增加六到七公斤，但一到兩歲之間，只會增加兩到三公斤甚至更少，越大越慢。

除了生理需求上的改變之外，還有很多因素會讓孩子吃的習慣改變：

①活動力增加：他們開始能走能跳，活動力增加，生活變好玩，自然會被更多事物吸引，吃對他們來說就沒那麼有趣了。

②自我意識越來越強：他們自我意識越來越強烈，疑似發現自己是個人了（？），不再是個萌呆的嬰兒，五感更敏銳，對放進嘴的食物有更多意見。以前可能七十分的食物他也願意將就吃，但覺醒後，只肯吃九十分的食物，對食物的喜好開始飄忽不定，讓媽媽覺得what the fuXX（自動消音），但這就是人生。

③學著自己吃飯導致量變少：他們開始學習自己吃飯，甚至討厭被餵了，但因為技巧不好，吃進去的量總會打點折。

④看來吃不多卻說飽了：他們不再吃湯湯水水的粥，而是吃更固體型態的食物，飽足感更夠，會讓媽媽覺得，怎麼只吃這樣就不吃了咧？可是志明啊，他就真的覺得飽了啊。

特別整理這篇，是為了讓媽媽們可以更平常心去面對一歲後孩子吃飯狀況的改變（一邊飆髒話一邊轉佛珠），他們真的就只是長大了啦，我們就含淚接受下一關的挑戰吧！

慢慢學會自己吃飯

一歲到一歲半之間，小孩就可以開始練習自己吃飯了。經過幾個月的嘗試，加上家長在旁當跪婦跪夫含淚清潔，**一歲半到兩歲間的孩子，就可大多靠自己吃**。至於大人要協助與善後到什麼程度，主要還是看照顧者多常放手讓孩子練習，以及小孩各方面的發展，每個狀況不太一樣。

當**想給寶寶練習自己吃飯時，手指食物要更頻繁的給予**，因為對他們來說用手最快，最有成就感。**寶寶餐具可以從叉子開始**，會比湯匙容易學會。

我會準備容易讓小孩叉起的食物，像是紅或白蘿蔔塊、小朵花椰菜、玉子燒切塊。一開始先把食物叉起，再拿給他們練習放到嘴裡，幾次之後寶寶就會學會，想要自己操作了。

很多照顧者想到要讓寶寶練習吃飯就會頭皮發麻，因為善後清潔的工作太可怕。我的**小訣竅是不要一次給寶寶一整份的食物練習，才不會一不小心打翻，整份餐就沒了**。而且小孩在過程中難免邊吃邊探索，調戲碗裡的食物，給他滿滿一碗，只是給他更多機會往外撒，那畫面太美了我不敢看。

我是**只放幾匙的量到弟弟餐盤裡，吃完了我再補**，過程就不會太慘烈。而如果明顯感受到孩子已經一心只想玩食物，**沒有要吃了，就溫和堅定地把食物收走**。不需要為了讓他多吃一兩口，跟他耗到餐桌變得滿目瘡痍，這樣辛苦太不值得了。

這場戰役若不想輸得狼狽，裝備要準備好，至少要有能吸在桌上的餐碗，才不會被小孩一下就整盤拿起當飛盤甩出去。也可以讓寶寶穿一件式的圍兜，才不會吃完一頓就幾乎髒到要洗澡。如果不想一直當跪婦擦地板撿食物，可以在地上鋪報紙。

以上這些都是可以減少善後麻煩程度的方法，不見得每個小孩都會需要，可以視情況慢慢找對策。

製作副食品的7大實務問題

需要哪些工具？外出時怎麼辦？買市售寶寶粥不可以嗎？林姓主婦一次回答你心中所有疑惑！

Q1 製作副食品時有哪些好用雞絲（工具）？

清單裡的東西，有些是哥哥時期就在用的，但也有不少是在弟弟時期才派上用場的好工具。兩個時期最主要的差別，在於哥哥時期我習慣一次做一批寶寶粥跟冰磚，大多靠手持攪拌棒或切碎盆完成。但弟弟時期我改成隨餐弄，**需要的是能輕鬆處理少量食材的工具**，我花了一點時間，總算找到破解的方法。以下是各種工具的介紹與建議，給大家參考！

研磨器

在寶寶吃副食品的頭一兩個月，用這個研磨器會非常方便隨手把小份量的食物弄成泥，像是燙一小撮青菜，切碎後再用研磨器把纖維磨碎，就可以給寶寶吃。而口感比較脆硬的食物，像是毛豆、栗子，可以磨了再過篩，就能放心給寶寶嘗試。

這在初期使用頻率高，卻也是非常過渡時期的用品，我們弟弟大概六個月後就完全不需要了，所以有恩典牌就拿吧，沒有的話，買組便宜的擋一下就好喔！

拍碎器

這其實就是所謂的拍蒜器，在弟弟吃副食品的高峰期，我極度仰賴它出餐，我會把要給弟弟吃的挑出來，分別拍成想要的粗細，幾秒鐘可以把我們的食物轉換成弟弟要吃的口感，是一條龍的最佳拍檔。

過了副食品階段，這傢伙還是可以繼續留在廚房服役，拿來拍蒜頭、洋蔥、辣椒等，都很好用，一個也不貴，就買吧。

食物攪拌棒

大概很多媽媽會把這個視為製作副食品的必備工具，確實在打泥的時候很方便，但缺點是它需要有一定的量才打得起來。而我的一條龍作法，已經不再需要製作大量冰磚，所以弟弟時期這個的出場率很低，只有在初期要把米粥打成泥的時候會用到。

不過因為這個攪拌棒也可以拿來打濃湯或是水果奶昔，對於家中沒有果汁機的人來說，還是可以買，以後還能用。但如果有果汁機的話，就不一定需要了，需要打比較大量的泥時，靠果汁機就好。

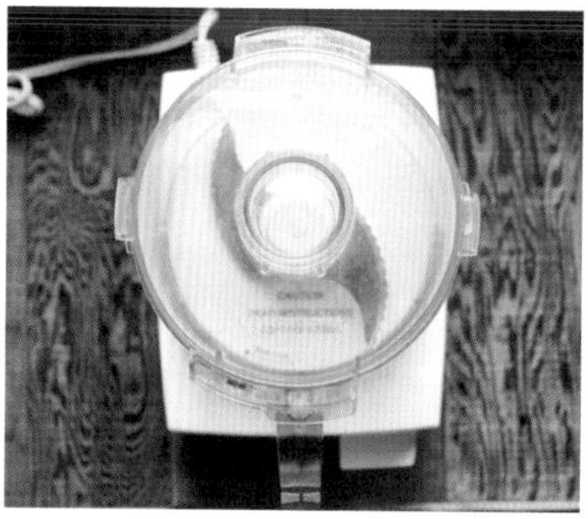

食物調理機、切碎盆

這是我本來就有的，刀鋒的設計跟手持攪拌棒或果汁機不一樣，是「切碎」而不是「打泥」。我最常拿它來處理蔬菜，一次燙一大把再打碎做成冰磚，就不用餐餐現弄。

若不是對烹飪很有興趣的話，倒也不需要特別買一個，不然以後可能用不太到。市售手持攪拌棒，多半會搭著「切碎盆」做組合販售，雖然比較小，但也足以發揮功用，選購時只要注意有一起買到就好。

不鏽鋼搗碎器

這是無印良品的，也是買好多年了，像是南瓜、地瓜、馬鈴薯、紅蘿蔔、蘋果，蒸熟後用這個一下就壓成泥，酪梨、香蕉我也是都用這個搗碎，清洗又方便，我很常使用。

熟食砧板、熟食專用刀

我發現很多人沒有習慣把生熟食的砧板跟刀具做區分（大驚），但這其實非常不衛生，拿來切生肉的砧板，怎麼可以也切熟食呢？就算洗過也無法徹底除菌的。務必準備專屬的熟食砧板，才能放心處理要給寶寶吃的食物，像有些菜的質地用拍蒜器拍不太碎，還不如直接用刀切一切比較快，很常會派上用場的！

刨絲器

我很常拿它來刨紅蘿蔔絲或馬鈴薯絲，也是我廚房萬年工具了。

玉米刨粒器

若料理中會用到玉米，大多時候我都是直接使用玉米罐頭，很方便，而且也有賣無鹽的。但偶爾也會直接使用生玉米粒、從頭開始拌炒，有這個玉米刨粒器、轉一轉，就可以迅速把整根玉米刨下，玉米粒不會亂噴，是個了不起的小工具呢！蝦皮就有賣喔！

竹蒸籠

我家沒有微波爐，要復熱副食品的話主要還是靠大同電鍋，有時要熱好幾樣，一層放不太下，有了這個竹蒸籠就可以當場變雙層巴士，一次搞定。市售竹蒸籠都有對應到大同電鍋的尺寸，可以直接架上去使用喔！

食物保存盒

雖然用一條龍的方法，不太需要刻意做什麼冰磚，但還是有很多機會可以隨手把好料冷凍起來，備著一些保存盒還是需要的。

這些是我從哥哥時期就開始用，是OXO的，分別為六〇毫升、一二〇毫升、及冰塊磚盒，好處是密合度高、不怕沾染冰箱異味、非常好取出，現在出很多新款式了，大家可以多看多比較。我也有幾個玻璃材質的小型保鮮盒，能直接加熱很方便，也可買幾個穿插使用。

柳宗理—不銹鋼鍋鏟（22.5cm）

這是我有一年要把百貨週年慶禮券花掉時，硬是挑了帶回家的。一開始覺得用不習慣，比一般鍋鏟有角度。後來在煎肉排、煎餅或是豆腐時，意外發現拿來翻面超好操作，用筷子輔助，一下就能翻過來，不會碎掉，強力推薦一定要買一個！

食物剪

有些食物用剪的最快，好用的食物剪是必要的。我自己在家習慣用大把的，更利，當然也有隨身型的，方便外出時使用。

Q2 如何善用工具，輕鬆製作不同顆粒大小的副食品？

為了讓大家能更了解如何運用前面的工具，我整理了以下表單跟適用情境說明，只要跟著做幾次，一定可以抓到要領，自行發揮的！

◎ **先決定食材的粗細程度，再視「需處理的量」，挑選工具。**

粗細程度	處理的量	工具
①泥	食材量少	研磨器
	食材量多	手持攪拌棒
②小顆粒 ③中顆粒	食材量少	拍碎器或刀
	食材量多	切碎盆、食物調理機
④大顆粒	食材量少	食物剪、拍碎器、刀
	食材量多	切碎盆、食物調理機

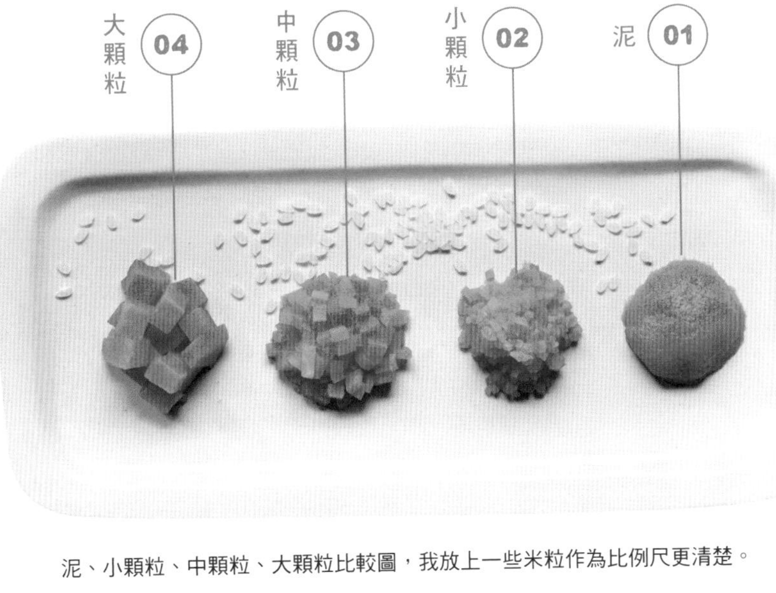

泥、小顆粒、中顆粒、大顆粒比較圖，我放上一些米粒作為比例尺更清楚。

食材處理小叮嚀

挑選使用工具最基本的依據為「需處理的食材量」。

進入顆粒階段後，還需要依照「食物質地」，挑選最合適的工具來切碎：如果是走一條龍的路線，就不太需要製作大批量的冰磚，而是隨餐將食材處理成適口大小。在此前提下，我會**優先建議使用拍碎器**，因為實在很方便，但它還是有使用上的限制，此時改用刀切會更有效率。例如以下情況：

- 比較薄的綠色葉菜類（如A菜），拍完你可能會發現有部分菜葉黏在底部，沒有被拍碎。
- 比較韌的食材（如杏鮑菇），也會感覺拍不太碎。
- 較油的食材（如牛肋條），我也會避免用拍碎器處理，因刀鋒結構不是很好刷洗，搞到太油會需要花時間善後，不划算。
- 同理，如果只是要切碎一兩樣食材，我也會選擇用刀，洗一把刀還是快多了。

進入大顆粒階段，我就會優先建議使用食物剪了，隨餐只要剪個幾刀就搞定，事後清洗很簡便。

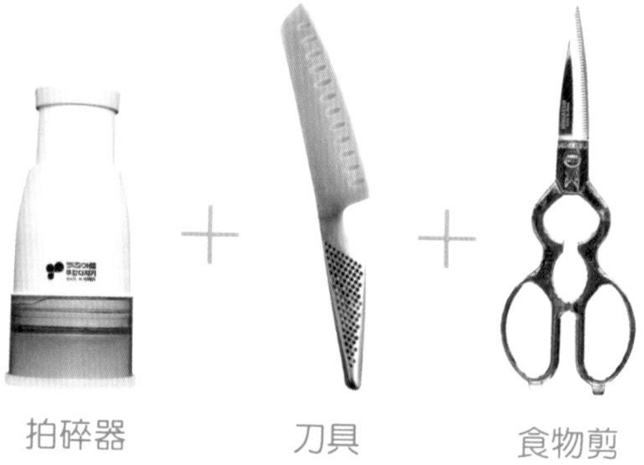

拍碎器、刀、食物剪，是處理少量副食品時的好工具。

隨寶寶咀嚼進程與食材口感彈性調整顆粒大小

①在這四種分類之中，只有泥是絕對的狀態，其後的顆粒大小都是相對的，只要確保小孩有在一定的進程，積極往大顆粒的方向努力即可。

②在任一個階段的當下，**顆粒大小會因為食材口感而有所變動**，像是偏軟的南瓜可以處理成大顆粒甚至丁狀，帶有纖維感的空心菜可以處理成小顆粒。

一條龍料理提倡將食物分開給予，很方便家長依食材口感決定要處理成多大，所以不要抓著某個顆粒大小作為目標，就想套用到所有食物上喔！

寶寶咀嚼練習進度參考

如果希望能掌握大致的標準，作為練習的進度參考，請見我以下的說明。

6個月前
——以泥為主

寶寶滿六個月前還是以喝奶為主，吃副食品只是嘗試，這階段讓寶寶只吃泥是沒有問題的喔。

6~7個月
——從米粒般的小顆粒開始練習

以處理成米粒大小為基準去微調，此階段算小顆粒的範圍。

- 當寶寶度過了吃泥階段，準備嘗試顆粒口感時，第一步是米粥不打泥，僅粗略打過，保留些許米粒，這對寶寶會是最輕鬆的開始。
- 其他食材可以處理成約半顆米粒的大小。
- 若寶寶對顆粒口感很抗拒，可以試著降低顆粒的比例，像是把顆粒混進米粥裡（把紅蘿蔔顆粒混進米粥）、把顆粒部分弄成泥（把紅蘿蔔顆粒混進紅蘿蔔泥），藉此逐步提高寶寶的接受度。
- 如果寶寶吃得很順，就再把顆粒放大到一顆米粒的大小。

7～9個月

進展到小拇指指甲般的中顆粒繼續努力

以處理成小拇指指甲大小為基準去微調，此階段算中顆粒的範圍。

- 當寶寶已經接受小顆粒的口感，準備往中顆粒邁進時，初期可以先把食物處理成約半個小拇指指甲大小給寶寶吃。
- 如果寶寶吃得很順，就再把顆粒放大到一個小拇指指甲的大小。

9～12個月

開始嘗試食指指甲般的大顆粒，讓咀嚼力大躍進

此階段會從中顆粒往大顆粒邁進，也就是大致上還是以小拇指指甲的大小為原則來處理，但口感軟嫩的食材，可以嘗試放大到一個食指甚至大拇指指甲大小。

- 這階段寶寶的進度落差會開始顯現，有的寶寶已經能吃大顆粒＋燉飯甚至乾飯，有的寶寶還是只能接受中小顆粒＋粥。

但只要能接受中顆粒的口感，就不用太擔心，持續往大顆粒練習，到一歲左右大概就可跟上。

TIPS

○再次提醒，以上各階段及顆粒大小說明，只是非常大方向的參考，還是要依照食材口感跟寶寶實際狀況去適度調整喔。

○為了精準控制顆粒大小給大家參考，我刻意用刀把紅蘿蔔切得方正工整，實際上切或剪給寶寶的，不會是這種整齊的狀態喔！怕新手媽媽太謹慎，以為要切成這樣才能給寶寶吃啦！

如何切少量蔬菜？

如何把少量蔬菜磨成泥？

如何把少量蔬菜磨成泥。

將少量食材磨成泥、切碎的操作步驟

看了前面的表單，會知道想處理少量食材，基本上就是靠研磨器（泥）、拍蒜器或是刀（顆粒）。我補充說明一下使用研磨器跟刀的小技巧，至於拍蒜器我想大家腦海中應該很有畫面，就不特別示範囉！

把少量蔬菜磨成泥

①將蔬菜先切碎，再放入研磨器中磨碎成泥。

②偏硬或脆的食材（如栗子或豆類），可於磨成泥後再過篩，就可放心給寶寶嘗試。

切少量蔬菜的方法

將一小把燙好的蔬菜放在熟食沾板上，右手拿刀，左手壓住刀頭。以扇形方式將菜切碎。

Q3 為什麼再也不做大批量的冰磚？

主婦答：

製作麻煩：

雖然要用的時候很輕鬆，但準備起來可是麻煩得要死，現在的我已經沒有耐心這樣做。

「少量多樣化」不需要製作大量冰磚：

傳統觀念一種新食材要試三到七天，要每天現弄又只能吃一點點，當然很麻煩，不如做成一批冰磚，才方便連續給小孩測試。但我是採取「少量多樣化」的方式在餵食，就更不需要做冰磚了。

寶寶容易吃膩：

食材太少會很難打，所以一做就是一堆，又要趁新鮮吃完，小孩很容易因為在短時間太密集吃到同一種食材而生厭。

太占冷凍櫃空間。

較難機動調整顆粒大小：

無法彈性地調整顆粒大小，隨小孩當下狀況積極給予練習咀嚼的機會。

容易不小心打太細：

為了想要攪打均勻，常常會不小心打過頭、打太細。

我現在的冰磚基本上就是隨著料理順便做，像是晚餐做蘿蔔燉肉，我就在調味前或是輕調味後，先把弟弟當餐要吃的撈出來，若份量夠，就再用冰磚盒裝個兩三份冷凍起來。

我會製作冰磚的食物

雖然前面說我現在不大量做冰磚，但以下食材，我會做成冰磚備用。

米粥冰磚（必備）

一條龍的寶寶，吃飯會跟大人很像，我們是吃飯配菜，他們是吃米粥配菜。我會依照弟弟當下喜歡吃的濃稠度，去製作米粥冰磚，像是五倍粥、三倍粥，直到弟弟可以直接跟我們餐餐吃白飯為止。

我常做的米粥有四種口味，讓基底粥也有口味變化：

①原味粥。

原味粥。

用無鹽雞高湯做成雞湯粥。

②**雞湯粥**：使用無鹽雞高湯取代水，製作成雞湯粥。
③**日式高湯粥**：使用無鹽柴魚高湯取代水，製作成日式高湯粥。
④**地瓜稀飯**。

蔬菜冰磚（中後期必備）

初期弟弟吃的量還不那麼大的時候，我都是每餐隨手燙一點青菜，再切碎磨碎給他吃，這樣最新鮮，而且能密集嘗試各種蔬菜。

但後來當弟弟蔬菜量越吃越多，我每餐要親手現弄就有點麻煩了，我會乾脆把一整包青菜燙熟後，直接用食物調理機打碎，再分裝成冰磚盒。一包超市賣的蔬菜，他分三頓就吃完了，所以我囤的冰磚量也不會多到讓他重複吃同一種菜好幾頓。

地瓜稀飯。

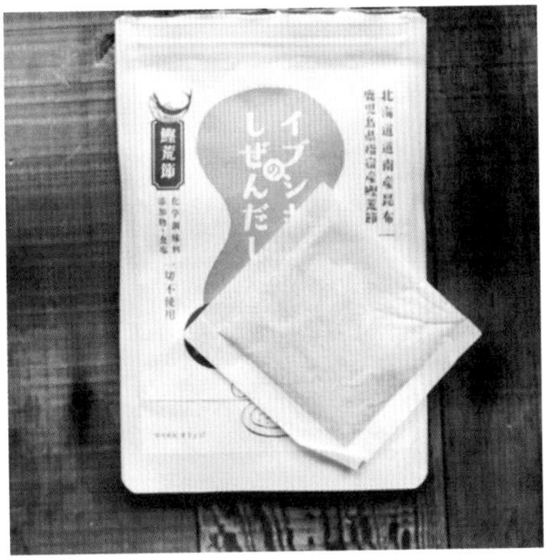

用無鹽柴魚高湯做成日式高湯粥。

蔬菜冰磚

材料：

・綠色蔬菜一把

作法：

①把一整包蔬菜燙熟。
②將蔬菜放進食物調理機裡打碎。
③再用冰磚盒分裝即成。

蔬菜冰磚復熱方式

如果是深色蔬菜要做成冰磚，不要直接整塊丟進電鍋裡加熱，這樣會黃掉，菜味也會變。我是提前拿到室溫退冰，等其他食物蒸熱後，再把蔬菜放進電鍋裡放著，利用電鍋的餘溫讓蔬菜變熱，這樣處理過的菜還是會保持鮮綠。

其他像是高麗菜、大白菜、娃娃菜等非綠色菜葉類的，就很耐蒸了，可以直接丟冰磚進電鍋加熱。

有時要清冰箱，會把剩餘的蔬菜直接全炒在一起，再做成冰磚。

洋蔥雞絞肉冰磚（初期常備）

在弟弟滿六個月開始吃肉後，我會備著洋蔥雞絞肉冰磚，方便隨時加進米粥裡或是直接弄一小坨給弟弟吃。

作法是把洋蔥丁炒至焦糖色，讓洋蔥的甜味徹底釋放出來，接著把雞胸絞肉丟進鍋子炒熟，最後再用食物調理機打細。

如果沒有雞胸絞肉，也可以買雞柳條切小塊去炒再打碎。

哥哥時期洋蔥雞絞肉冰磚陪伴我好幾個月的時間，因為常常需要拌進寶寶粥裡。但弟弟因為跟著一條龍料理吃，很快就能直接吃鍋中的肉，我只有在他六、七個月大的時候做過洋蔥雞絞肉（顯示為更輕鬆）。

食譜
RECIPE

洋蔥雞絞肉

材料：

・洋蔥一顆
・雞胸絞肉三〇〇克

作法：

①洋蔥切成丁後，炒至焦糖色。
②再把雞胸絞肉丟進鍋子炒熟。
③最後再放進食物調理機打細。

炒過的紅蘿蔔絲（常備）

把紅蘿蔔刨籤後，用少許油+小火炒，當聞到地瓜般的甜味時，代表紅蘿蔔的甜味已經徹底被炒出來，會**非常好吃**，**完全沒有草腥味**。**這是我最常備著的冰磚，隨時可以拿出來幫弟弟加菜，在本書食譜中堪稱最佳綠葉，經常出場**，像是做蒸蛋、炒蛋、玉子燒、做拌飯、加到洋蔥肉燥裡，都可以。

酪梨冰磚（有機會就順手做）

弟弟很喜歡吃酪梨，我三不五時會買顆酪梨，當餐給弟弟吃一些後，剩餘的做成冰磚。要吃時，只要**提前拿出來室溫退冰**，**就可以吃了，不需要蒸喔！**

炒過的紅蘿蔔絲。

酪梨冰磚。

南瓜冰磚（有機會就順手做）

我會趁做南瓜料理時，分小塊蒸熟後壓成泥做成冰磚，拿來拌到米粥裡或飯裡就很好吃。

蘋果冰磚（有機會就順手做）

有時買到的蘋果剛好太大顆，一次吃不完的話，我會把吃剩的用一杯水蒸軟，壓成泥後做成冰磚，使用時機很多。

像是煮番茄或是南瓜口味的料理，有時我會丟一顆蘋果冰磚到弟弟的那份裡，這兩種口味跟蘋果搭在一起都很對味。

我也會拿來做水果燕麥，像是煮藍莓果醬時丟蘋果冰磚進去，口味就會有所變化。或是直接把蘋果冰磚蒸熱，淋在燕麥上，再切一些無

南瓜冰磚。

蘋果冰磚。

糖葡萄乾撒在上面，也很好吃。

好吧想想好像沒有了，其他我都覺得沒什麼必要一次做一堆咩（毫無預警結束話題）。

Q4 我們大多時候只能吃外食，該怎麼辦？

主婦答：

如果好好看了這本書，會對於寶寶一餐該吃什麼更有概念，就算外食，也比較知道該如何挑選寶寶也能一起吃的料理。現在很多強調清淡烹調的家庭餐廳或日式料理，是相對適合小孩的選擇。我知道不少城市有訂家庭餐的服務，業者做好三菜或四菜一湯，每日配送，讓忙碌的雙薪家庭，下班回家後也能吃到家常料理，這些都是可以研究看看的方向喔！

Q5 買市售副食品會不會太偷懶？

主婦答：

不會啊，我也會買一些備著，總是會有來不及準備的時候咩。

但市售副食品有它的限制，像是無法隨著小孩咀嚼進度調整食材軟硬跟顆粒、蔬菜跟肉可能比較不夠、口感太單一（幾乎就是粥或燉飯）、以及無法讓寶寶品嚐到食材個別的滋味與口感。**可試著把市售寶寶粥當主食，再另外配菜跟肉去補強**，這樣寶寶就會吃得不錯囉！

TIPS

如果買到的寶寶粥太稀，寶寶不愛的話，可以在蒸或微波的時候，另外加一些白飯，這樣就可以讓粥變濃稠點。

Q6 外出怎麼給副食品？

主婦答：

哥哥時期我會在家把我做的寶寶粥熱好，用保溫罐裝著帶出門，極限是放三小時，越早吃掉越好。如果這樣做，一旦有口水碰到就要在一小時內吃掉。不能餵幾口後發現寶寶不想吃，就把保溫罐蓋起來想說晚點餵，因為粥已經沾到湯匙上口水的細菌了。不確定小孩能吃多少的話，務必用乾淨的湯匙挖一部分到別的碗裡，吃完還要的話再挖。

弟弟我就很少這樣做了，我通常會帶著可以隔水加熱的常溫寶寶粥，或是乾脆買便利商店的地瓜當主食，再看外食的餐廳（餐廳也會特別挑過）有什麼適合給弟弟吃的，隨手剪一些給他。如果還是不夠飽，就再買香蕉。因為我外食機會不多，偶爾為之就以簡單方便為主。

弟弟吃的進程很快，大概十個月大，他就可以跟著我們吃乾飯，我就更省事了，除非是去吃完全不適合他共食的餐廳，我才會用上述的方法幫他準備食物。

我也會用Stasher密封袋裝食物出門，有烤箱或微波爐就可整袋直接加熱，很方便！

Q7 一條龍聽起來是要鼓勵全家人一起吃飯，但我們家的作息就是很難全湊在一起吃，特別是爸爸下班回家都晚了，小孩根本等不到，這樣還有必要一條龍嗎？

主婦答：

本書說的一起吃，有兩種意思。一是大家坐在一起吃，一是大家享用的是同樣的餐點，兩種的意義不太一樣。

如果兩種「一起」吃都能做到，當然是最美好的，全家一起用餐的愉悅氛圍，肯定會讓食物變好吃，也會建立出家庭儀式感，讓親子關係更緊密。但以台灣高工時的現實環境來說，許多家庭確實有執行上的困難。

即便如此，我仍認為把全家串在一起的，不見得只能靠同時吃飯的這個「行為」。

想一想，我們不也是這樣長大的嗎？補習到很晚，回家看到爐上還留著一鍋雞湯，喝湯時弟弟湊上來討了一碗，媽媽邊唸邊燙了把青菜，最後連爸爸也跑來吃宵夜。

我想表達的是，全家的作息會隨著不同階段流動，有時湊得在一起，有時湊不到。但家的味道，會逐漸在家人心中扎根，讓在家吃飯變成對大家都有意義的一件事。一個有「味道」的家，一家人就算忙，也總會繞回餐桌相聚。

如果你透過一條龍料理，累積屬於你們家的味道，並且邀請寶寶來共食，讓他習慣你們吃什麼，他就吃什麼，這樣當你們有機會全家一起吃時，會發現孩子能無縫接軌融入你們，因為他早就一直練習著跟你們「一起」吃。

主婦媽媽心經（蓮花指）

孩子不肯吃時的基本除錯流程

當你認真準備了副食品，但寶寶卻抵死不入口時，可核對看看基本除錯流程，也許就找到原因了！

寶寶出廠時都沒有附使用說明書，逼爸媽總得自己想辦法破關，而吃絕對是其中一個大魔王關，因為一頓飯吃不好，背後可能有錯綜複雜的因果關係，爸媽不見得每次在案發現場都能找出原因。

雖然每個寶寶的原廠設定值有所不同，但依照我的經驗以及六年多來的田野調查，當小孩不肯吃的時候，有以下基本除錯流程可以讓爸媽參考。

01 時機就是一切，先排除生理上的種種不巧

以下可視孩子當下的狀況作勾選：

☑是否太累？

太累的小孩絕對吃不好，要注意寶寶是否醒太久。一歲前的小孩，普遍來說醒兩到三小時後就會開始神智不清，進入魯洨階段，所以最好**在餵食前先依照寶寶的體力狀況或作息抓好時間**。

如果真的失算，特別是週末假日很容易因為家庭活動錯過餵食時機，要餵的時候小孩已經累到歡，我會建議緩緩，先讓小孩打個盹快充一下晚點再餵，或乾脆認賠殺出，直接用奶取

代，放小孩早早去睡，明日再戰。不然小孩只會吃到大哭大鬧把食物都推開讓媽媽更想死。

是否不餓？

不夠餓有幾種可能：

奶喝太多

很多家長或長輩，深深被一歲前奶是主食的觀念給影響，只要寶寶想喝他們就給，看寶寶有持續長肉長胖就覺得這樣很好。

對沒有厭奶的寶寶而言，喝奶很輕鬆，吸吮的過程更令他們感到滿足。如果可以一直喝奶，他們自然沒有太大動機去練習吃副食品。

結果會因為缺乏練習，對固體食物接受度很低，爸媽怕孩子餓就還是補奶，寶寶過了一**歲也終結不了這惡性循環**。我看過最離譜的案例，是有個四歲小男孩還是整天喝奶，一頓可以喝三六〇毫升，正餐幾乎完全不吃，讓爸媽傷透腦筋，卻又因為小孩越大越難妥協而感到無可奈何。

如果六個月後，寶寶一日五頓喝好喝滿，且副食品的量明顯追不上來，那就是奶喝太多了，家長需要控制一下總奶量，減少小孩對奶的依賴，讓他們有機會感到飢餓，才有可能認真吃副食品。

餐跟餐接太近

一般而言，寶寶大約三到四小時會進食一次，但確切而言要怎麼抓進食的時間，還是要看小孩的狀況跟作息去調整。**不重吃的小孩，就更需要確保餐跟餐隔夠久。**

餐跟餐之間有吃點心

小鳥胃的小孩真的沒有吃點心的權利，每次只要心軟給他們吃點小東西，馬上衝擊到下一餐。所以如果是這種路線的小孩，家長（還有阿公阿嬤！）一定要更嚴格避免在餐跟餐之間給像水果、麵包等點心，一切以正餐為主。

活動量不夠

這點隨著小孩越大會越明顯。**活動量足夠的小孩，很自然會靠夭**，像我們這種男孩媽都知道，吃飯前帶去公園操一輪就對了。反之，如果整天在家，沒有足夠的活動跟刺激的話，沒消耗到熱量，當然就會影響到食慾了。

即便是嬰兒，也可以讓他練趴，等會爬、會走之後，盡量提供足夠的活動空間讓他們活動，不要總是抱著，該吃飯時才會餓。

☑是否餓過頭？

餓過頭的小孩都會變凶神惡煞，可能還沒上桌就已經哭倒在地，要他振作起來到餐桌好好吃飯，我想對嬰孩而言要求是有點太高了。

如果已經過了吃飯時間但餐點還沒準備好，最快的方式就是先給點奶按耐小孩，讓他們有基本的飽足感，冷靜後再回到餐桌吃副食品。

02 再想想他對食物的喜好

☑是不是不喜歡食物口感？

口感是很多寶寶在意的點，在意的程度更勝口味，因為那是放進嘴裡時他們第一個感覺到的，當食物口感令他討厭，他根本連味道都還沒嚐到，就直接吐出來了。比較常被寶寶客訴（？）的口感問題像是太稀、太濃稠、太泥、有太明顯顆粒、太難嚼、太軟爛、太乾、太硬、太脆、太澀（這客訴單是否太長！）。

在寶寶副食品階段，因為他們隨時在長大，咀嚼吞嚥能力一點一滴在進步，**對於食物口感的喜好轉變會很快，因此經常讓爸媽摸不著頭緒**，覺得昨天還肯吃，怎麼今天就不肯。當這情況出現，就要優先考慮是不是他想吃更有口感、顆粒更粗的食物。

當然也有另一種可能，就是你給寶寶的咀嚼訓練進程太快，他還沒有準備好。如果是這樣，那就倒退幾步，放慢腳步，等寶寶跟上。

不過就像我說的，**如果採用一條龍的方式給予副食品，其實是非常容易依照寶寶當下的反應，去機動調整食物口感**，所以爸媽也不用太擔心，知道這個觀念就好。

是不是有什麼他不喜歡的味道？

這通常在試新食材時會特別感覺得到。提醒一下，雖然小孩前幾次吃了不愛，不代表我們就要下定論，開始避開某些食材。畢竟對一歲前的嬰兒而言，所有感官上的刺激都是初體驗，衝擊感當然比較大。**只要在剛好吃到時隨手給他們嚐一小口，有時他們就突然接受了。**

是不是吃膩了？

這也是常見誤區。除非是本身有點料理底子，不然媽媽很容易煮到沒梗，換來換去就是那幾種口味，小孩膩了就不肯吃了。不過還好你買了這本食譜，應該會多很多招，可以放心啦（肩膀頂肩膀）。

☑ 是不是想吃固體型態的東西，調整進食方式了？

有的小孩到一個階段就會非常抗拒被用湯匙餵食，他們寧可用手抓著吃，爸媽可以觀察一下，如果小孩想閃躲掉的是「湯匙」，那就試著多給固體型態的手指食物，減少用湯匙餵食的比例，或許小孩又肯吃了。

03 外在環境因素

☑ 是否太冷太熱？

在台灣比較可能是太熱，台灣夏天的悶熱沒有在客氣的，大人都不想吃了，寶寶食慾當然也會受影響，必要時還是開個電扇甚至冷氣讓小孩舒服一點，會比較有興致吃。餐點也可準備清爽、不會湯湯水水吃到滿頭大汗的食物。

☑ 用餐環境是否被干擾？

隨著寶寶漸漸長大，會對周圍的環境越來越好奇，吃一頓飯東看西看，嘴巴裡的東西都忘了嚼是家常便飯。父母可以觀察小孩的個性，**如果是比較坐不住、不重吃、好奇心旺盛、容易受環境影響的，就要讓他進食的環境少一點干擾**。

所謂的干擾像是：餐桌旁邊就開著電視、吃飯時有別人不斷在旁邊走動說話、家中有人會在小孩吃飯時一直來關心逗弄、桌上或是附近有很多吸引他的東西或玩具，這些都很母湯。

04 生理因素

是否正在長牙？

長牙時大多寶寶會蠻不舒服的，長臼齒時牙齦甚至可能會被擠破滲血。如果寶寶因為長牙而比較歡、影響食慾，媽媽不用太擔心，改準備比較好吞食的食物，真的吃不了就多給奶，耐心陪孩子熬過就好。

是否感冒生病了？

跟大人一樣，身體不適就不想吃飯了，可讓寶寶吃點雞湯粥，或改給奶，讓他放輕鬆、多休息，等小孩康復了，食慾自然就回來了。

不過小孩都一陣一陣的，很多時候也沒什麼特別原因啦，他們就是突然想到了，覺得想來搞一下，看身邊的大人被整得雞飛狗跳就覺得心情特好（歡迎自行於腦海中輸入寶寶那充滿魔性的笑）。

所以如果該做的都做了，小孩還是愛吃不吃，就放寬心，讓子彈飛一會兒吧！只要照著這本書，確保大方向都有把持住，過程中對於小孩在餐桌上的胡鬧就盡量冷處理，他玩夠了，總有一天會回頭的（結果子彈一飛就是三年）（是不至於啦）。

林姓主婦愛用生鮮品牌與推薦品項

我很喜歡逛傳統市場，但疫情爆發以來，我很難帶著嫩嬰去逛，於是找了一些品質很好的網購食材，很適合沒空採買的媽媽！

過去我習慣上傳統市場採買，再回家分裝冷凍。但弟弟出生不久後就爆發Covid-19，我帶著弟弟進市場有點風險也麻煩，便開始網購生鮮冷凍食材。改變購物習慣後，才知道真空冷凍包裝的雞豬漁獲，其實鮮度能獲得更完整的保存。慎選品牌的話，來源還更透明，品質更穩定。吃了很有感後，後來即便疫情回穩，我也持續靠網購補貨。

以下是我精挑細選、回購多次後，覺得真的很值得信賴與推薦的品牌。新手媽媽很難出門採買，連肉品都能網購的話，省事非常多。

舒康雞

特色 舒康雞的特色是使用植物性飼料，全程不使用抗生素，讓我很放心煮給小孩吃，而且肉毫無雞腥味，簡單調味就很好吃。

我非常依賴他們的清高湯跟雞絞肉製作副食品，在本書會不斷看到它們出場。舒康雞的清高湯沒有加鹽跟任何添加物，單純用雞骨架、雞胸肉跟水熬煮而成，很香醇好喝，拿來做基底粥或濃湯的湯底、炊飯、燉飯、蒸蛋都非常棒，是我不調味也能讓副食品美味的秘訣。一

包三〇〇毫升的包裝，也讓我覺得使用上很剛好，不會太大包。

他們的雞絞肉有分雞腿絞肉或雞胸絞肉，是粗絞，比較像是小肉丁，這個設定對我來說非常方便。可以依需求，稍微剁一下做成寶寶雞肉丸或是雞肉排。也可以直接拿來炒成一道料理，像是本食譜中的九層塔番茄炒雞肉，或是作為炒飯、炒麵，粥品、燉飯的料。

製作副食品高峰期，務必認識這兩個萬用的品項！他們的棒棒腿跟帶骨雞肉切塊我也很常買來燉，冰箱有他們，媽媽心會超安！

副食品好幫手推薦

- **清高湯**：可做基底粥湯底、燉飯、蒸蛋等。
- **雞腿絞肉、雞胸絞肉**：可做雞肉餅、番茄打拋雞、炒飯、炒麵、粥品與燉飯的料等。

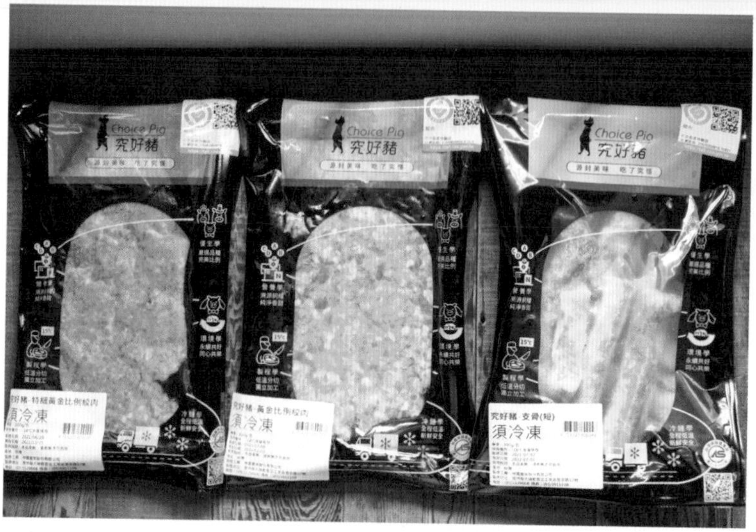

究好豬

特色 究好豬是台灣少見將育種、飼養、分切、包裝到銷售，上下整合、一條龍作業的台灣豬品牌，品質因此能獲得更嚴謹的把關。

究好豬吃起來非常清甜，沒有令人倒彈的豬騷味，因此不需要靠重調味去壓，特別適合給小寶寶吃。我常常用他們的黃金比例豬絞肉（有分粗絞跟特細），簡單跟洋蔥、紅蘿蔔絲一起炒，再加點柴魚高湯燉煮一下，拌進粥飯裡，弟弟就覺得很好吃。我也很常買他們的腩排，跟洋蔥、番茄一起燉軟後，就可以把整支骨頭抽出，讓弟弟開心大口咬肉。他們排骨系列燉出來的湯也特別好喝，真心推薦給不知道上哪買好豬肉的新手媽媽。

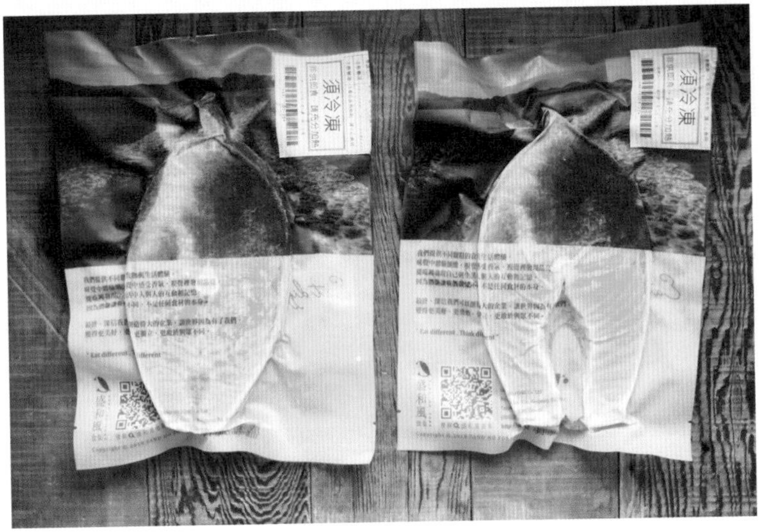

副食品好幫手推薦

● **黃金比例豬絞肉**：可跟洋蔥、紅蘿蔔炒一炒，拌進粥裡。

不老鮭

特色 盛和風獨家代理的不老鮭，是來自紐西蘭Ora King養殖場的國王鮭魚，不施打抗生素及殺蟲劑。而之所以叫不老鮭，是因為魚油比一般鮭魚多三倍，怎麼煎都不會老，像奶油般入口即化，而且吃起來毫無魚腥味，直接清蒸給寶寶吃都好吃。

不老鮭非常適合作為家庭的常備食材，大人小孩到寶寶都能吃，我冰箱一定備好備滿。怕挑刺的，可以直接買他們的無骨菲力魚排，弄

給寶寶吃超方便，新手媽媽一定要認識它！

副食品好幫手推薦

- **不老鮭**：可直接清蒸給寶寶吃。
- **無骨菲力魚排**：很適合怕挑刺的媽媽使用來料理。

新合發

特色 新合發是我很信賴的海鮮品牌，他們有相當先進設備的漁船跟工廠，從漁獲捕撈、處理、保存、包裝出貨皆一手包辦。

我很常買他們的寶寶魚片跟吻仔魚，寶寶魚片目前有無鹽漬的台灣鯖魚、白帶魚捲跟鮭

書中利用這些食材做了很多料理，我們全家人都很愛吃！

魚。他們的吻仔魚則是市面上少有的無鹽熟吻仔魚，但想買的話就要看是否正值產季了。

新合發也會販售許多季節性漁獲，我常買的還有蝦仁、小卷、透抽、剝皮魚、扁鱈、鬼頭刀魚排，品質都非常好喔！

副食品好幫手推薦

- **寶寶魚片**：我常買無鹽漬的台灣鯖魚、白帶魚捲跟鮭魚。
- **無鹽熟吻仔魚**。
- **其他季節漁獲**：常買的有蝦仁、小卷、透抽、剝皮魚、扁鱈、鬼頭刀魚排等。

國家圖書館出版品預行編目資料

林姓主婦的家務事 4：一條龍餐桌，從家庭料理到副食品（影響深遠的飲食觀念 x 快速上手的實務技巧）/ 林姓主婦著. -- 臺北市：三采文化股份有限公司, 2021.10
面； 公分. --（好日好食；56）
ISBN 978-957-658-627-9（平裝）

1. 育兒 2. 小兒營養 3. 食譜

428.3 110012521

suncolor 三采文化集團

好日好食 56

一條龍餐桌，從家庭料理到副食品

影響深遠的飲食觀念 x 快速上手的實務技巧

作者｜林姓主婦
副總編輯｜鄭微宣　責任編輯｜鄭微宣
美術主編｜藍秀婷　封面設計｜池婉珊　內頁排版｜陳育彤　內頁插畫｜池婉珊
封面內頁人物攝影｜OceanK Photography 美好日日影像工作室
專案經理｜張育珊　行銷企劃｜周傳雅

發行人｜張輝明　總編輯｜曾雅青　發行所｜三采文化股份有限公司
地址｜台北市內湖區瑞光路 513 巷 33 號 8 樓
傳訊｜TEL:8797-1234　FAX:8797-1688　網址｜www.suncolor.com.tw
郵政劃撥｜帳號：14319060　戶名：三采文化股份有限公司
初版發行｜2021 年 10 月 1 日　定價｜NT$400
2刷｜2021 年 10 月 5 日